БЭТМЕН
ТРИ
ДЖОКЕРА
ИЗДАНИЕ ДЕЛЮКС

БЭТМЕН: ТРИ ДЖОКЕРА

Автор
ДЖЕФФ ДЖОНС

Художник
ДЖЕЙСОН ФЕЙБОК

Колорист
БРЭД АНДЕРСОН

Художники обложек сборника
**ДЖЕЙСОН ФЕЙБОК
и БРЭД АНДЕРСОН**

Образ Бэтмена создал Боб Кейн
совместно с Биллом Фингером

Анна Короткова
перевод

Елена Ащепкова
редактор

Анастасия Бутина
ответственный редактор

Михаил Федосеев
художественный редактор

Денис Строков, Максим Гранько
художественное оформление

Валентин Бердник
технический редактор

Ольга Варламова
компьютерная верстка

Антон Залозный, Лариса Ершова
корректоры

Александр Жикаренцев
главный редактор

УДК 821.111 (73)
ББК 84(7Сое)-80
Д 42

Литературно-художественное издание

Джонс Дж.

Д 42　Бэтмен : Три Джокера. Издание делюкс : графический роман / Джефф Джонс ; пер. с англ. Анны Коротковой. — СПб. : Азбука, Азбука-Аттикус, 2022. — 172 с.

ISBN 978-5-389-20084-5

ООО «Издательская Группа „Азбука-Аттикус“» —
обладатель товарного знака АЗБУКА ®
115093, Москва, Павловская ул., д. 7, эт. 2, пом. III, ком. № 1

Филиал ООО «Издательская Группа „Азбука-Аттикус“» в Санкт-Петербурге
191123, Санкт-Петербург, Воскресенская наб., д. 12, лит. А

ЧП «Издательство „Махаон-Украина“»
Тел./факс: (044) 490-99-01. E-mail: sale@machaon.kiev.ua

Подписано в печать 08.02.2022. Формат издания 60×84 $^1/_8$.
Печать офсетная. Усл. печ. л. 19,35. Тираж 3000 экз. Заказ № 0938/22.

Отпечатано в соответствии с предоставленными материалами
в ООО «ИПК Парето-Принт». 170546, Тверская область,
Промышленная зона Боровлево-1, комплекс № 3А. www.pareto-print.ru

Знак информационной продукции
(Федеральный закон № 436-ФЗ от 29.12.2010 г.): **16+**

C-CGR-28868-02-R

ВРЕМЯ ИЗЛЕЧИТ
ВСЕ РАНЫ...

...ЕСЛИ, КОНЕЧНО,
ТЫ НЕ УМРЕШЬ
ОТ НИХ ПРЕЖДЕ...

МОИ РОДИТЕЛИ...

Я ПРИВЕДУ В ПОРЯДОК ИХ НАДГРОБИЯ СРАЗУ, КАК ТОЛЬКО ПОМОГУ ВАМ.

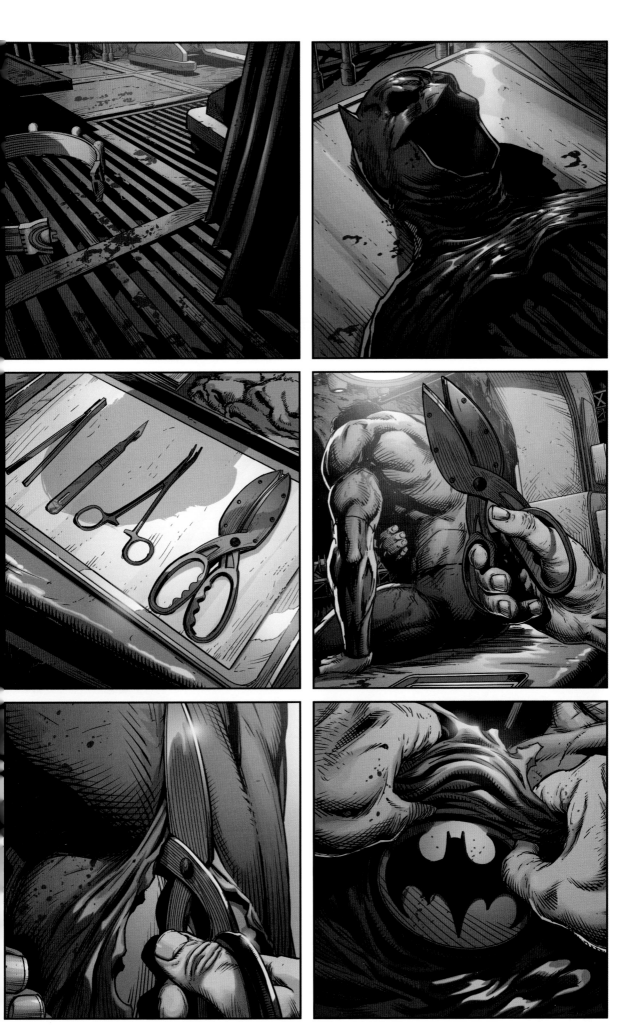

ЧТО НА ЭТОТ РАЗ?

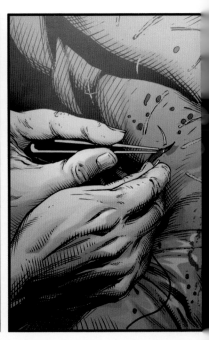

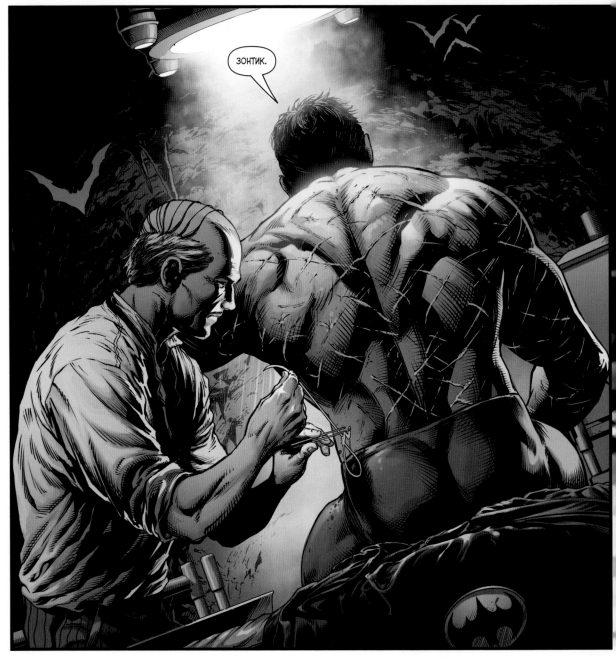

ЗОНТИК.

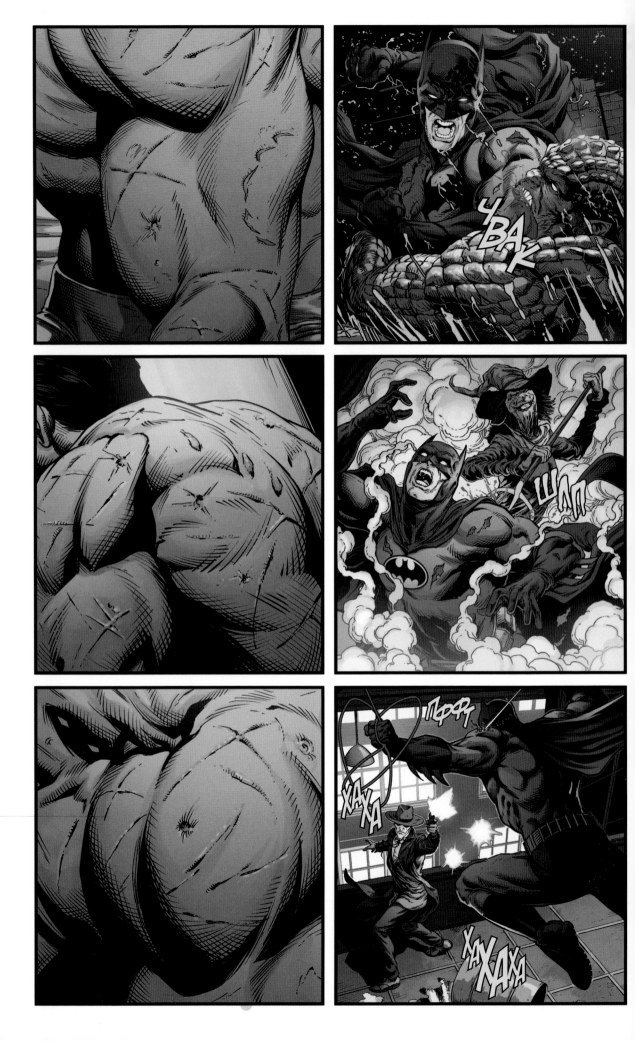

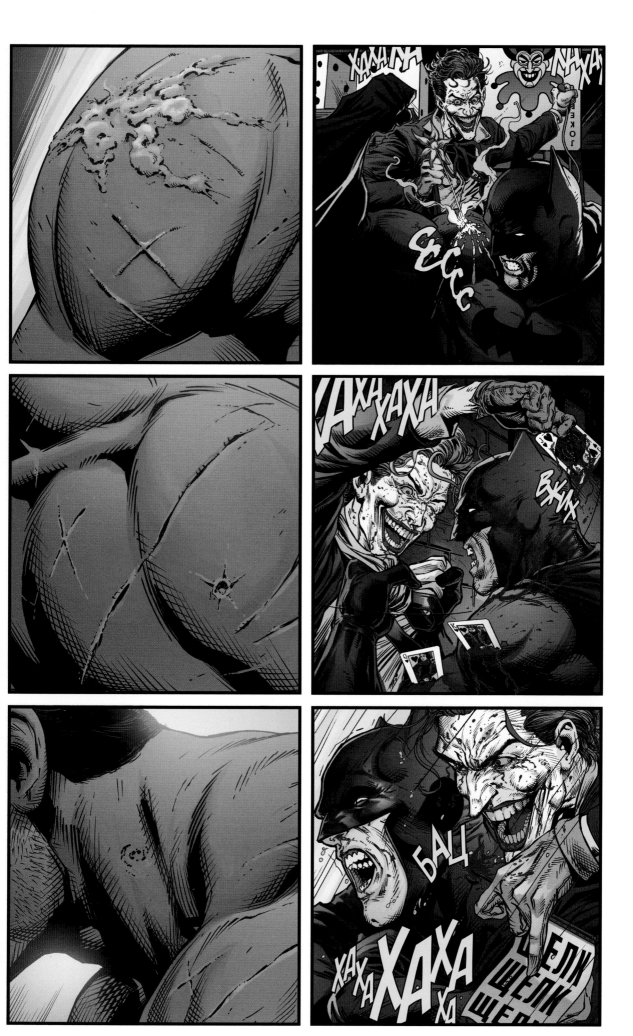

XAXAXAXAXAXAXA

XAXAXA

XA XA

XA

«ПОЧЕМУ ТЫ СМЕЕШЬСЯ?»

ЭТО БЫЛ ВЕЛИЧАЙШИЙ ФИЛЬМ ВСЕХ ВРЕМЕН!

«ЭТА РАНА ГЛУБЖЕ ВСЕХ ПРОЧИХ».

ОСТАНЕТСЯ ЕЩЕ ОДИН ШРАМ, НО ЕДВА ЛИ ВЫ ЭТО ЗАМЕТИТЕ.

БРЮС?

ИТАК, МЫ ВЕРНУЛИСЬ В СТУДИЮ И ТЕПЕРЬ ПРОСИМ УБРАТЬ ОТ ЭКРАНОВ ДЕТЕЙ. ДО НАС ДОШЛИ ТРАГИЧЕСКИЕ ВЕСТИ...

СЕГОДНЯ ВЕЧЕРОМ ПОСЛЕДНИЕ ПРЕДСТАВИТЕЛИ КРИМИНАЛЬНОЙ СЕМЬИ МОКСОН, ЗАМЕТНО ПОРЕДЕВШЕЙ ЗА ПОСЛЕДНЕЕ ВРЕМЯ, БЫЛИ УБИТЫ ПРЯМО В САМОМ ЦЕНТРЕ ГОТЭМА, В РЕСТОРАНЕ «У ЛЬЮ»...

В УБИЙЦЕ ОДИН ИЗ ОЧЕВИДЦЕВ УЗНАЛ ДЖОКЕРА. СУДЯ ПО ВСЕМУ, ТОТ ПРОДОЛЖАЕТ СВОЮ «ВОЙНУ ХАОСА» ПРОТИВ ТАК НАЗЫВАЕМОЙ ОРГАНИЗОВАННОЙ ПРЕСТУПНОСТИ...

ВОЙНУ, КОТОРУЮ ДЖОКЕР НАЧАЛ ЕЩЕ НЕСКОЛЬКО ДЕСЯТИЛЕТИЙ НАЗАД, КОГДА ВПЕРВЫЕ ПОЯВИЛСЯ В ГОТЭМЕ.

СЕМЬЯ МОКСОН СНИСКАЛА ДУРНУЮ СЛАВУ, КОГДА ЕЕ ОБВИНИЛИ В ОРГАНИЗАЦИИ УБИЙСТВА ТОМАСА И МАРТЫ УЭЙН, НО БЫЛА ОПРАВДАНА ПОСЛЕ ТОГО, КАК ВОР-КАРМАННИК ДЖО ЧИЛЛ ПРИЗНАЛСЯ, ЧТО ДЕЙСТВОВАЛ В ОДИНОЧКУ.

В ДАННЫЙ МОМЕНТ ЧИЛЛ ОТБЫВАЕТ ПОЖИЗНЕННЫЙ СРОК В ТЮРЬМЕ «БЛЭКГЕЙТ».

НУ А НАСТОЯЩЕЕ ИМЯ ДЖОКЕРА ПО-ПРЕЖНЕМУ НЕИЗВЕСТНО...

1) Преступник

БИИП
БИИП
БИИП

ВЫБРАНА МАКСИМАЛЬНАЯ СКОРОСТЬ.

ВАМ ЗНАКОМО НЕКОНТРОЛИРУЕМОЕ ЖЕЛАНИЕ ПОСТОЯННО ДВИГАТЬ НОГАМИ?

У ВАС НЕ ПОЛУЧАЕТСЯ СТОЯТЬ НА МЕСТЕ, А НОЧЬЮ ВЫ НИКАК НЕ МОЖЕТЕ УСНУТЬ?

ОТ ДВУХ С ПОЛОВИНОЙ ДО ПЯТНАДЦАТИ ПРОЦЕНТОВ ЖИТЕЛЕЙ США СТРАДАЮТ ОТ «СИНДРОМА БЕСПОКОЙНЫХ НОГ»...

...НО «ТРАВОДАРТ» ДОКАЗАЛ СВОЮ ЭФФЕКТИВНОСТЬ И ПОМОГАЕТ В ДЕВЯНОСТА ПРОЦЕНТАХ СЛУЧАЕВ! ПОДТВЕРЖДЕНО КЛИНИЧЕСКИМИ ИСПЫТАНИЯМИ.

ДЛЯ СПОКОЙНЫХ НЕРВОВ В НЕСПОКОЙНОМ МИРЕ. ПРОКОНСУЛЬТИРУЙТЕСЬ СО СВОИМ ВРАЧОМ УЖЕ СЕГОДНЯ.

МОЖЕТВЫЗЫВАТЬ: МЫШЕЧНЫЕБОЛИ,ТОШНОТУ,ЖЕЛУДОЧНЫЕСПАЗМЫ, ВЫПАДЕНИЕВОЛОСИ/ИЛИ ПОТЕРЮПАМЯТИ.ЕСЛИМЫШЕЧНЫЕБОЛИДЛЯТСЯ БОЛЕЕОДНОГОЧАСА, НЕМЕДЛЕННООБРАТИТЕСЬКВРАЧУ.

И МЫ ВОЗВРАЩАЕМСЯ В СТУДИЮ С ТРАГИЧЕСКОЙ НОВОСТЬЮ, ПОСТУПИВШЕЙ ИЗ СОМЕРСЕТА, ЭЛИТНОГО ПРЕДМЕСТЬЯ ГОТЭМА...

СЕГОДНЯ НОЧЬЮ ДЖОКЕР ЖЕСТОКО УБИЛ ВСЕМИ ЛЮБИМОГО КОМИКА КЕЛАНИ АПАКУ, ПРИЧЕМ УБИЙСТВО ТРАНСЛИРОВАЛОСЬ В ПРЯМОМ ЭФИРЕ ИЗ ДОМА ПОКОЙНОГО.

КЕЛАНИ АПАКА, ЭСТРАДНЫЙ АРТИСТ И КУЛЬТУРНЫЙ ДЕЯТЕЛЬ, ПРОСЛАВИЛСЯ СВОИМИ ЭКСТРАВАГАНТНЫМИ РУБАШКАМИ И ЕЩЕ БОЛЕЕ ЭКСТРАВАГАНТНЫМ СМЕХОМ, НУ А В НАЧАЛЕ СВОЕЙ КАРЬЕРЫ ОН ИСПОЛЬЗОВАЛ ПСЕВДОНИМ ФЭТМЕН, ПОСКОЛЬКУ ВЫСТУПАЛ В КОСТЮМЕ БЭТМЕНА ОГРОМНОГО РАЗМЕРА.

В СОЦИАЛЬНЫХ СЕТЯХ ДРУЗЬЯ ПО СЦЕНЕ, А ТАКЖЕ УРОЖЕНЦЫ ГАВАЙЕВ, ГДЕ РОДИЛСЯ АПАКА, ОПЛАКИВАЮТ СМЕРТЬ АРТИСТА И ВОСПЕВАЮТ ЕГО ТАЛАНТ...

И КАК КТОТО СКАЗАЛ: «ЕГО ЗАРАЗИТЕЛЬНАЯ УЛЫБКА НАВСЕГДА ОСТАНЕТСЯ В НАШЕЙ ПАМЯТИ...»

К-ТАНГГ

«АЛОХА».

Ш-Ш-Ш

ЧЕРТ.
ЕЩЕ ОДИН СЛОМАЛА.

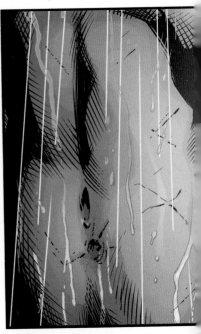

П-П... П-ПОЧЕМУ ВЫ...

...Д-ДЕЛАЕТЕ ЭТО?..

ЧТОБЫ КОЕ-ЧТО ДОКАЗАТЬ.

НУ, ЗА ПРЕ- СТУПЛЕНИЕ!

2) Комик

«СЕЙЧАС Я ТЕБЯ ВЫКЛЮЧУ».

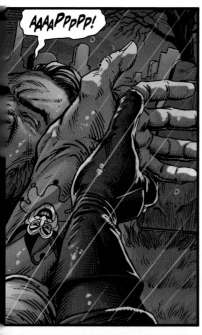

АДАаРррР!

ОХ, ОКАЗЫВАЕТСЯ, ВЫ, ОТМОРОЗКИ ДЖО-КЕРА, ТАКИЕ НЕЖНЫЕ СОЗДАНИЯ...

НЕ ЗНАЮ, ДРУЗЬЯ, ЧТО И ДУМАТЬ, НО... СЕГОДНЯ ВЕЧЕРОМ ДЖО-КЕРА ВИДЕЛИ В ТРЕХ МЕСТАХ СРАЗУ.

ОН СЛОМАЛ МНЕ РУКУ!

НЕДАВНО СБЕЖАВШЕГО ПАЦИЕНТА АРКХЕМА ЗАФИКСИРО-ВАЛИ КАМЕРЫ ВИДЕОНАБЛЮДЕНИЯ «ЭЙС КЕМИКАЛ», ЧТО ПОЛНОСТЬЮ ПРОТИВОРЕЧИТ ПОКАЗАНИЯМ ПРЕДЫДУЩИХ ОЧЕВИДЦЕВ.

ДЕТАЛИ ПРОИСШЕСТВИЯ ДЕРЖАТСЯ В ТАЙНЕ, НО НАШИ ИСТОЧНИКИ УТВЕРЖ-ДАЮТ, ЧТО НА ЗАВОДЕ БЫЛО ОБНАРУЖЕНО НЕСКОЛЬКО ТЕЛ.

ПОСЛЕДНЯЯ ВОЛНА ТЕРРОРА ДЖОКЕРА НАЧАЛАСЬ НА ЭТОЙ НЕДЕЛЕ С УБИЙСТВА ПИСА-ТЕЛЯ И ДОКТОРА РОДЖЕРА ХАНТУ-ГА, КОТОРОГО ОБНАРУЖИЛИ МЕРТВЫМ В КЛАДОВКЕ ЛЕЧЕБНИЦЫ АРКХЕМ С РЕЗИНОВОЙ КУРИЦЕЙ, ЗАСУНУТОЙ ЕМУ ГЛУБОКО В ГЛОТКУ.

ДОКТОР ХАНТУН ИНТЕРВЬЮИРОВАЛ ПАЦИЕНТОВ АРКХЕМА, СОБИ-РАЯ МАТЕРИАЛ ДЛЯ ПРОДОЛ-ЖЕНИЯ СВОЕГО БЕСТСЕЛЛЕРА «БАЦ! ПСИХОЛОГИЯ: ПОНИ-МАНИЕ ЛЮДЕЙ СО СВЕРХ-СПОСОБНОСТЯМИ».

В ЭТОЙ ПРОТИВОРЕЧИВОЙ РАБОТЕ ДОКТОР РЕШИТЕЛЬНО ОСУЖДАЕТ СООБЩЕСТВО СУПЕРГЕРОЕВ.

В СВОЕЙ КНИГЕ ДОКТОР ХАНТУН ВЫДВИГАЕТ ГИПОТЕЗУ, ЧТО МАСКИ ПОМОГАЮТ ЛЮДЯМ ЗАБЫТЬ О СВОЕЙ СОВЕСТИ И БЛАГОДАРЯ ЭТОМУ ВЫПУС-ТИТЬ СВОЮ ТЕМНУЮ СТОРОНУ НА ВОЛЮ БЕЗ КАКИХ-ЛИБО ПОСЛЕДСТВИЙ.

ПРОДОЛЖЕНИЕМ ДОЛЖНА БЫЛА СТАТЬ КНИГА «БАХ! ПСИХОЛОГИЯ: ТРАВМИРОВАННЫЕ ЛЮДИ СО СВЕРХСПОСОБНОСТЯМИ», В КОТОРОЙ ОН СОБИРАЛСЯ РАССМОТРЕТЬ, КАК ОТРАЖАЕТСЯ СУПЕРНАСИЛИЕ НА ПСИХИКЕ СВЕРХЛЮДЕЙ.

ДОКТОР ПРЕДПОЛАГАЛ, ЧТО ПОСТОЯННО ПОВТОРЯЮЩАЯСЯ ТРАВМА СОЗДАЕТ «ЦИКЛ КОСТЮМИРОВАННОЙ ЖЕСТОКОСТИ» И В КОНЕЧНОМ СЧЕТЕ «ХОРОШИЕ ПАРНИ» И «ПЛОХИЕ ПАРНИ» СТАНОВЯТСЯ НЕОТЛИЧИМЫМИ ДРУГ ОТ ДРУГА.

ТЕОРИЯ, С КОТОРОЙ ЛИЧНО Я АБСОЛЮТНО НЕ СОГЛАСЕН.

ВЕДЬ, ПОСУДИТЕ САМИ, ЭТО ЖЕ ГОТЭМ. МЫ ВСЕ ЗНАЕМ, КТО ТУТ ХОРОШИЙ, А КТО — ПЛОХОЙ.

ЧТО, ШЛЕМ СВОЙ ПОТЕРЯЛ?

«ДАВАЙ РАСКРОИМ ЕМУ ЧЕРЕПУШКУ».

«РАСКРОИМ?»

ЛУЧШЕ ПУЛЮ ВСАДИМ. ДЛЯ ГАРАНТИИ.

ЧЕРТ.

БЛИН, ДЖИМБО, ЧТО ЗА ХРЕНЬ ТУТ ТВОРИТСЯ?

НЕ МОЖЕТ ТОГО БЫТЬ, ЧТОБЫ ДЖОКЕР РАСПРАВИЛСЯ С СЕМЬЕЙ МОКСОН, УБИЛ ТОГО КОМИКА В СОМЕРСЕТЕ И ОТРАВИЛ ЗДЕСЬ ЭТИХ ЧУДИЛ — И ВСЕ В ОДНО И ТО ЖЕ ВРЕМЯ!

ДЛЯ ЭТОГО ЕМУ ПРИШЛОСЬ БЫ НАХОДИТЬСЯ В ТРЕХ МЕСТАХ ОДНОВРЕМЕННО.

У НЕГО ЕСТЬ ДВА ПОМОЩНИКА, БУЛЛОК, ЭТО ОЧЕВИДНО.

А ХОТИТЕ ЗНАТЬ МОЕ МНЕНИЕ, ПАРНИ? РАСПРАВИТЬСЯ С МОКСОНАМИ ВСЕГДА БЫЛО В СПИСКЕ ДЕЛ ДЖОКЕРА. ЭТОТ КЛОУН НЕНАВИДИТ КРИМИНАЛЬНЫЕ СЕМЬИ НЕ МЕНЬШЕ, ЧЕМ НАС.

К ТОМУ ЖЕ ЕСТЬ СВИДЕТЕЛЬ.

НО ЧТО НА САМОМ ДЕЛЕ ВИДЕЛ ЭТОТ ТВОЙ СВИДЕТЕЛЬ? КТО УГОДНО МОЖЕТ НАДЕТЬ ЗЕЛЕНЫЙ ПАРИК И НАМАЗАТЬ ЛИЦО ПУДРОЙ. БЛАГОДАРЯ ЭТОМУ ДЖОКЕР УЖЕ ШЕСТЬ РАЗ СБЕГАЛ ИЗ АРКХЕМА.

НО В ПРЯМОМ ЭФИРЕ ОТРЕЗАТЬ КОМИКУ ЯЗЫК НОЖОМ ДЛЯ МАСЛА?

ВОТ ЭТО ТОЧНО ДЖОКЕР. ГАРАНТИРУЮ.

СТО БАКСОВ, ЧТО ВЫ ОБА ОШИБАЕТЕСЬ.

СЕГОДНЯ ВЕЧЕРОМ НАСТОЯЩИЙ ДЖОКЕР БЫЛ ЗДЕСЬ, В «ЭЙС КЕМИКАЛ». ТАК ЭТОТ ПСИХ УКАЗЫВАЕТ НАМ НА МЕСТО, ГДЕ ОН ОКОНЧАТЕЛЬНО ПОЕХАЛ КРЫШЕЙ.

БЛИН, ЭТИ ЧУДИЛЫ КАК ДВЕ КАПЛИ ВОДЫ ПОХОЖИ НА КРАСНОГО КОЛПАКА И ДВУХ ЕГО ПОМОЩНИКОВ.

ТОЛЬКО ГЛЯНЬТЕ НА НИХ.

ТРИ МЕСТА ПРЕСТУПЛЕНИЯ. ТРИ ДЖОКЕРА.

ЧТО ВСЕ ЭТО ЗНАЧИТ?

БЭТМЕН...

НАДЕЮСЬ, ТЫ СМОЖЕШЬ ПРОЛИТЬ СВЕТ НА ЭТО БЕЗУМИЕ.

ДА, БЭТС. МЫ ТУТ ДЕЛАЕМ СТАВКИ: КАКОЕ ИЗ ПРЕСТУПЛЕНИЙ СОВЕРШИЛ НАСТОЯЩИЙ ДЖОКЕР?

ОН ПРИКОНЧИЛ МОКСОНОВ?

ИЛИ ФЭТМЕНА?

ИЛИ УБИЛ ВОТ ЭТИХ ТРОИХ? КАК ДУМАЕШЬ?

ЭТО СОТРУДНИКИ ХИМИЧЕСКОГО ЗАВОДА?

НЕТ, ВЕСЬ ПЕРСОНАЛ ЦЕЛ И НЕВРЕДИМ. ПО ХОДУ, ДЖОКЕР СПЕЦИАЛЬНО ПРИТАЩИЛ ИХ СЮДА, ЧТОБЫ УБИТЬ.

ХМ.

ТАК КТО ЖЕ ОНИ, А, БЭТМЕН?

ИХ ПАЛЬЦЫ СОЖЖЕНЫ ХИМИКАТАМИ. ТЕМИ ЖЕ, КОТОРЫМИ ОН ОТБЕЛИЛ ИХ КОЖУ.

ИЗ-ЗА ЭТИХ ЖЕ ХИМИКАТОВ НЕ СДЕЛАТЬ ТОЧНЫЙ АНАЛИЗ ДНК.

А ПОВРЕЖДЕНИЕ НЕРВНОЙ СИСТЕМЫ ПРИВЕЛО К ТОМУ, ЧТО ЧЕЛЮСТИ ЖЕРТВ НАМЕРТВО СЖАЛИСЬ В УЛЫБКЕ... ПОЭТОМУ СЛЕПКИ ЗУБОВ ТОЖЕ НЕ ПОМОГУТ.

КАК И В СЛУЧАЕ С ДЖОКЕРОМ, ИХ ЛИЧНОСТИ УСТАНОВИТЬ НЕВОЗМОЖНО.

ОТЛИЧНО, БЭТС, И ЧТО ДАЛЬШЕ?

ДА...

ПОХОЖЕ, ТВОЯ ДОГАДКА ВЕРНА.

ДОГАДКА? ТЫ ЭТО О ЧЕМ?

СКОРЕЕ ВСЕГО, ЭТИ ЛЮДИ БЫЛИ БРОДЯГАМИ.

ЧТО?

ДЖИМБО, С КЕМ ВООБЩЕ ОН РАЗГОВАРИВАЕТ?

ЭТИ ТРИ ЧЕЛОВЕКА СИМВОЛИЗИРУЮТ ДРУГИХ ТРОИХ ЛЮДЕЙ. ТЕХ, ЧТО БЫЛИ ЗДЕСЬ ТОЙ НОЧЬЮ. ОН ИЛИ ОСТАВЛЯЕТ НАМ ПОДСКАЗКУ... ИЛИ ХОЧЕТ ОТВЛЕЧЬ НАС.

НУ ДА. ПОХОЖЕ, СТАРИНА БЭТС ВСЕ-ТАКИ ДВИНУЛСЯ УМИШКОМ.

ОН ЗАСТАВЛЯЕТ НАС СОСРЕДОТОЧИТЬСЯ НА ПОГИБШИХ...

...А НЕ НА УГНАННОМ ГРУЗОВИКЕ.

КХМ... ПРОСТИ, НО С КЕМ ТЫ РАЗГОВАРИВАЕШЬ?

СО МНОЙ, КОМИССАР.

ИМЕННО ЗДЕСЬ ОН УПАЛ. ИЛИ МОЖНО СКАЗАТЬ, ПАЛ?

ИМЕННО ЗДЕСЬ ДЖОКЕР ПОЯВИЛСЯ НА СВЕТ.

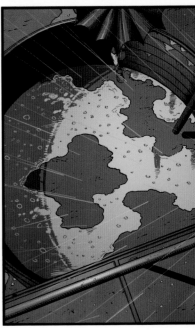

ПОЛОВИНА КАМЕР ВИДЕОНАБЛЮДЕНИЯ ВЫВЕДЕНА ИЗ СТРОЯ. НО НА ЗАПИСЯХ С ТЕХ, ЧТО РАБОТАЛИ...

ДЖОКЕР СМОТРИТ ПРЯМО В ОБЪЕКТИВ.

НА ЧТО ТЫ НАМЕКАЕШЬ, БЭТГЕРЛ?

ТИПА ЭТОТ ПСИХ ХОТЕЛ ПОПАСТЬ НА ПЛЕНКУ?

ВОТ ПОЧЕМУ ДЖОКЕР ОСТАВИЛ В ЖИВЫХ ОЧЕВИДЦА СВОЕЙ РАСПРАВЫ НАД МОКСОНАМИ И УБИЛ КЕЛАНИ АПАКУ В ПРЯМОМ ЭФИРЕ.

ДЖОКЕР — ИЛИ ВСЕ ТРОЕ — ХОТЕЛ, ЧТОБЫ ЕГО УВИДЕЛИ.

НО КРОМЕ ЭТОЙ ЗАГАДКИ, БЭТМЕН, У НАС ЕСТЬ ПУСТОЙ ЧАН. НИКТО НЕ ЗНАЕТ, ЧТО В НЕМ БЫЛО...

«...ПЛЮС ПРОПАВШИЙ ГРУЗОВИК».

МОИ ПАРНИ УЖЕ РАЗЫСКИВАЮТ МАШИНУ.

НО ЧТО НАСЧЕТ ДРУГИХ МЕСТ ПРЕСТУПЛЕНИЯ? ЕСЛИ НАСТОЯЩИЙ ДЖОКЕР БЫЛ ЗДЕСЬ, КТО ТОГДА ОСТАЛЬНЫЕ ДВОЕ?

ЭТОГО МЫ ПОКА НЕ ЗНАЕМ.

ТАК ЧТО СТАВКЕ ДЕТЕКТИВА БУЛЛОКА ПРИДЕТСЯ ПОДОЖДАТЬ ДО ОКОНЧАНИЯ РАССЛЕДОВАНИЯ.

БЛИН! Я РАССЧИТЫВАЛ НА ЭТИ ДЕНЬГИ!

НА КОМПЬЮТЕРАХ «ЭЙС КЕМИКАЛ» НЕТ НИКАКОЙ ИНФОРМАЦИИ О ТОМ, ЧТО БЫЛО В ЧАНАХ. ЧТО У НИХ С СИСТЕМОЙ УЧЕТА?

С ДОКУМЕНТАЦИЕЙ В «ЭЙС» ВСЕГДА БЫЛО ТУГО.

СУДЯ ПО СОСТОЯНИЮ ТЕЛ, ДЖОКЕР СНАЧАЛА УБИЛ СВОИХ ЖЕРТВ, ОКУНУВ ИХ В ЭТОТ ЧАН, А ЗАТЕМ УЖЕ СЛИЛ СОДЕРЖИМОЕ.

ХИМИКАТЫ ПОХОЖИ НА ТЕ, КОТОРЫЕ СОЗДАЛИ САМОГО ДЖОКЕРА.

НО ЗАЧЕМ ЕМУ ХИМИКАТЫ?

ЧТОБЫ УБИТЬ ЕЩЕ ЛЮДЕЙ. НУЖНО ЕГО РАЗЫСКАТЬ. СРОЧНО.

ХИ! ХА! ХО!

ДУМАЕШЬ, Я ОТПУЩУ ТЕБЯ ОДНОГО? НА ПОИСКИ ЭТОГО ПСИХА?

ДЖОКЕР И ЕГО ДВОЙНИКИ КУЧУ ЛЮДЕЙ СЕГОДНЯ УБИЛИ.

Я ЕГО ОСТАНОВЛЮ.

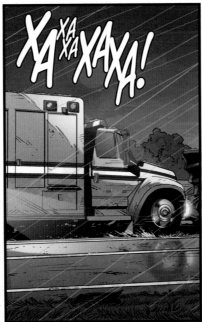

ХА ХА ХА ХАХА!

НУ, Я ДОЛЖЕН БЫЛ ПОПЫТАТЬСЯ.

КОГДА МЫ УЕЗЖАЛИ, ТВОЙ ОТЕЦ ПОСМОТРЕЛ НА МЕНЯ КРАЙНЕ НЕОДОБРИТЕЛЬНО.

ОН ЗНАЕТ, ЧТО ТЫ БЭТГЕРЛ?

КОНЕЧНО НЕТ.

ОН ОБЕСПОКОЕН СЕГОДНЯШНИМИ СОБЫТИЯМИ НЕ МЕНЬШЕ НАШЕГО, БРЮС.

КОГДА В ДЕЛЕ ЗАМЕШАН ДЖОКЕР, ВСЕ ГОТОВЯТСЯ К ХУДШЕМУ. И МЫ ЧЕРЕЗ ЭТО ХУДШЕЕ УЖЕ ПРОШЛИ. КАКОГО ЕЩЕ ВЗГЛЯДА ТЫ ОТ НЕГО ОЖИДАЛ?

ХА ХА ХА ХА ХА!

ХА ЭМ... ХА!

Х-ХТО ТЫ? ЧТА-А ТЫ Д-ДЕЛАЕШЬ?

КЛИК

КХХ!

ХА ХА ХА ХА ХА!

ТУК ТУКТУКТУКТУК

ТУК
ТУК

Я ТУТ СБИЛ КОЕ-КОГО НА ДОРОГЕ. ВОТ, ПРИВЕЗ НА ЖАРКОЕ...

«...КСТАТИ, ТЕБЕ ВЕЛИК НЕ НУЖЕН?»

А, ТЫ УЖЕ СЛЫШАЛ ЭТОТ АНЕКДОТ.

СЛЫШАЛ? ДА ЭТО Я ЕГО ПРИДУМАЛ!

ВЫ, КОМИКИ, ВЕЧНО ПРИСВАИВАЕТЕ СЕБЕ ЧУЖИЕ ЗАСЛУГИ.

КСТАТИ, ЭТО МОЯ РУ-БАШКА.

ТВОЯ?

И КТО ИЗ НАС ДВОИХ ПЫТАЕТСЯ ПРИСВОИТЬ СЕБЕ ЧУЖОЕ?

ЭТО БЫЛО МОЕ ЛУЧШЕЕ БЕЗУМСТВО. НО ПО СРАВНЕНИЮ С ТЕМ, ЧТО ЖДЕТ НАС ВПЕРЕДИ... ЗАХОДИ И ПОСЛУШАЙ, ЧТО НАШ БОСС ЗАДУМАЛ ПРОВЕРНУТЬ.

БОСС? ОН?

НУ, КТО-ТО Ж ДОЛЖЕН БЫТЬ ГЛАВНЫМ.

ХА ХА ХА ХА ХА ХА!

АХИ ХО ХО ХА ХИ!

«ЕСТЬ ТОЛЬКО ОДИН СПОСОБ ОСТАНОВИТЬ ЭТОТ СМЕХ...»

...ВКОЛОТЬ ПРОТИВОЯДИЕ, КОТОРОЕ НЕЙТРАЛИЗУЕТ ТОКСИНЫ.

ХА ХИ ХО ХО!

Я ВВОЖУ ЕМУ ВТОРУЮ ДОЗУ, ЧТОБЫ ЗАМЕДЛИТЬ СЕРДЦЕБИЕНИЕ.

ХИ ХИ ХИ ХИ!

ХА ХИ ХО...

СПАСИБО.

ИЗВИНИТЕ ЗА СЛУЧИВШЕЕСЯ.

А ЭТО ТОЧНО ЕМУ НА ПОЛЬЗУ?

ТЕПЕРЬ ГЛАВНОЕ — ЧТОБЫ ОН ЛЕЖАЛ.

О ЧЕМ ТЫ, ЧЕРТ ВОЗЬМИ, ТОЛЬКО ДУМАЛ?

О ТОМ, ЧТО ДОЛЖЕН НАЙТИ ДЖОКЕРА, ПОКА ОН КОГО-НИБУДЬ ЕЩЕ НЕ УБИЛ.

И ПОЭТОМУ ТЫ РЕШИЛ ДОПРОСИТЬ ОДНУ ИЗ ЕГО ЖЕРТВ?

ЖЕРТВ?

ОТМОРОЗКИ ДЖОКЕРА РАССКАЗАЛИ МНЕ, ЧТО ЭТУ «ТРОИЦУ ИЗ ЧАНА» ДЖОКЕР НАШЕЛ В ИСПРАВИТЕЛЬНОМ ЦЕНТРЕ.

ЖЕРТВА, ГОВОРИШЬ? ВОТ ЭТОТ ТИП? У НЕГО ДЛИННЫЙ ПОСЛУЖНОЙ СПИСОК, В КОТОРОМ ЕСТЬ ЭПИЗОДЫ ДОМАШНЕГО НАСИЛИЯ В ОТНОШЕНИИ СОБСТВЕННОГО РЕБЕНКА.

ПРИДУРКУ ЕЩЕ ПОВЕЗЛО, ЧТО Я НЕ ВЫШВЫРНУЛ ЕГО ИЗ «СКОРОЙ ПОМОЩИ».

ДЖЕЙСОН?

ЕСЛИ И ТЫ СОБИРАЕШЬСЯ МЕНЯ ОТЧИТЫВАТЬ...

ТЫ ШЕЛ ПО СЛЕДУ ДЖОКЕРА ЕЩЕ ДО ТОГО, КАК ОН ОКАЗАЛСЯ НА «ЭЙС КЕМИКАЛ».

ДА. ИСКАЛ ЕГО С ТЕХ САМЫХ ПОР, КАК ОН СБЕЖАЛ ИЗ АРКХЕМА НА ЭТОЙ НЕДЕЛЕ.

И МЫ С БАРБАРОЙ ТОЖЕ.

НО СЕГОДНЯ ДЖОКЕР В ОДНО И ТО ЖЕ ВРЕМЯ ПОЯВИЛСЯ В РАЗНЫХ МЕСТАХ. ЭТО ПОДТВЕРЖДАЕТ ТЕ ПОДОЗРЕНИЯ, КОТОРЫЕ У НАС ВОЗНИКЛИ ПОСЛЕ ЕГО ПОБЕГА.

«ОН РАБОТАЕТ НЕ ОДИН... ПОЭТОМУ И МЫ ДОЛЖНЫ ОБЪЕДИНИТЬСЯ».

МЫ ДОБЫЛИ ХИМИКАТЫ.

И ЧУТКА ПОВЕСЕЛИЛИСЬ.

ЧТО ДАЛЬШЕ?

ЧТО МЫ БУДЕМ ДЕЛАТЬ ДАЛЬШЕ?

«...А ТЫ ПОКА НАБЕРИ ВАННУ».

«ДВА ДНЯ НАЗАД ЗДЕСЬ СЛОМАЛСЯ ВОДОПРОВОД, И ОКЕАНАРИУМ ЗАКРЫЛИ НА РЕМОНТ.

ОДИН ИЗ ОТМОРОЗКОВ ДЖОКЕРА, С КОТОРЫМИ Я ДРАЛСЯ, ДЕРЖАЛ В РУКАХ ГАЕЧНЫЙ КЛЮЧ, НА КОТОРОМ БЫЛИ ПОТЕКИ ОТ МОРСКОЙ ВОДЫ. ПРИ ЭТОМ КЛЮЧ БЫЛ КАК НОВЕНЬКИЙ, ИЗ ЧЕГО Я СДЕЛАЛ ВЫВОД, ЧТО ВЗЯЛИ ЕГО ЯВНО НЕ В ГАВАНИ...

НУ А ГДЕ ЕЩЕ? ОСТАЕТСЯ ОКЕАНАРИУМ, ИЗ ЧЕГО СЛЕДУЕТ ВЫВОД, ЧТО ТОТ ТИП ИМЕЕТ ПРЯМОЕ ОТНОШЕНИЕ К ПОЛОМКЕ ВОДОПРОВОДА».

ОТЛИЧНАЯ РАБОТА, ДЖЕЙСОН.

НО ТЕБЕ СТОИЛО СРАЗУ ОБО ВСЕМ МНЕ РАССКАЗАТЬ. ЭТО СПАСЛО БЫ НЕСКОЛЬКО ЖИЗНЕЙ.

НО ВЕДЬ ЭТО ТЫ ВСЕГДА ТВЕРДИЛ, ЧТО ДЖОКЕР — ТВОЯ ЛИЧНАЯ ЗАБОТА.

ЭТО БЫЛО ДО ТОГО, КАК ИХ СТАЛО НЕСКОЛЬКО.

СЛУШАЙ, КОГДА ТЫ УЖЕ ЧТО-НИБУДЬ СДЕЛАЕШЬ С ЭТИМИ СИДЕНЬЯМИ?

В КАЖДОМ БЭТМОБИЛЕ, В КОТОРОМ МНЕ ДОВОДИЛОСЬ ЕЗДИТЬ, ПАССАЖИРСКИЕ КРЕСЛА СЛИШКОМ МАЛЕНЬКИЕ.

БУДТО ТЫ И ВПРЯМЬ НЕ ХОЧЕШЬ, ЧТОБЫ У ТЕБЯ БЫЛИ ПОПУТЧИКИ.

НЕ СУДИ ПО СЕБЕ, ДЖЕЙСОН.

МОЙ ОТЕЦ ЧАСТО ВОДИЛ МЕНЯ СЮДА.

А Я ВНУТРИ НИКОГДА НЕ БЫВАЛ.

А ТЫ, БРЮС?

МОИ РОДИТЕЛИ ЕГО ПОСТРОИЛИ.

СКОЛЬКО УЖЕ РАЗ ОН «ДЖОКЕРИЗО-ВАЛ» И СВОДИЛ С УМА СВОИХ ЖЕРТВ? И СЕЙЧАС ВСЕ ТО ЖЕ САМОЕ.

ТЫ ГОВОРИШЬ О ЛЮДЯХ, КОТОРЫЕ, ПОЛУЧИВ ДОЗУ ЭТОГО ЖУТКОГО ТОКСИНА, ТЕРЯЛИ НАД СОБОЙ КОНТРОЛЬ?

НО, УЧИТЫВАЯ ВСЕ, ЧТО МЫ НА ДАННЫЙ МОМЕНТ ЗНАЕМ, ЭТИ ТРИ ДЖОКЕРА ПРЕКРАСНО СЕБЯ КОНТРОЛИРО-ВАЛИ. ПОХОЖЕ, У НИХ БЫЛИ СВОИ МОТИВЫ, ПУСТЬ МЫ ДО СИХ ПОР И НЕ ЗНАЕМ, КАКИЕ ИМЕННО.

И ЧТО КАСАЕТСЯ ЭТИХ ТРЕХ ДЖОКЕРОВ... ВЫ ВЕДЬ ОБА ПОНИМА-ЕТЕ, ЧТО ПРОИСХОДИТ НА САМОМ ДЕЛЕ?

ЗАТО МЫ ТОЧНО ЗНАЕМ, ЧТО ЭТОТ НОВЫЙ БЭТ-ФОНАРЬ ПРЕДУПРЕ-ДИТ ВСЕХ О НАШЕМ ПОЯВЛЕНИИ.

ПОДУМАЙ ЛУЧШЕ О ДРУГОМ. СЕГОДНЯ НОЧЬЮ МЫ ЯВНО СТОЛКНЕМСЯ С ЧЕМ-ТО, С ЧЕМ РАНЬШЕ НИКОГДА НЕ СТАЛКИВАЛИСЬ.

НУ ДА.

ЭТО ЧТО-ТО НОВЕНЬКОЕ.

ТЕПЕРЬ МЫ ЗНАЕМ, ГДЕ ХРАНЯТСЯ УКРАДЕННЫЕ ХИМИКАТЫ, НО ЭТО НЕ ДАЕТ ОТВЕТА НА ВОПРОС ЗАЧЕМ.

ЧТОБЫ СОЗДАТЬ УЛЫБАЮЩИХСЯ АКУЛ?

МОЙ ШЛЕМ СООБЩАЕТ, ЧТО В ЗДАНИИ ОТКРЫЛОСЬ СРАЗУ НЕСКОЛЬКО ДВЕРЕЙ ПОЖАРНЫХ ВЫХОДОВ.

КТО-ТО СОБИРАЕТСЯ СОСТАВИТЬ НАМ КОМПАНИЮ.

ОНИ УЖЕ ЗДЕСЬ.

ДА, МЫ ЗДЕСЬ!

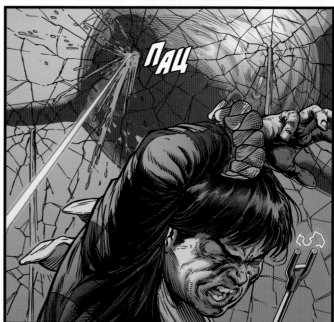

ЧИИИИИИ!

ИИИЯЯЯГГФ!

КАЖЕТСЯ, ТРИУМФАЛЬНОЕ ВОЗВРАЩЕНИЕ ГЭГГИ СОРВАЛОСЬ.

ОН МОГ ЗНАТЬ, ГДЕ ХРАНЯТСЯ ОСТАЛЬНЫЕ ХИМИКАТЫ.

КАКИЕ ОСТАЛЬНЫЕ? ФИРМЕННЫЙ СОУС ЭТОГО КЛОУНА ПРЯМО СЕЙЧАС СТЕКАЕТ В СТОЧНУЮ ТРУБУ.

КАКИМИ БЫ НИ БЫЛИ ПЛАНЫ ДЖОКЕРА, ИМ ПРИШЕЛ КОНЕЦ.

СОВСЕМ НЕТ.

ВСЕ УКРАДЕННЫЕ ХИМИКАТЫ В ЭТОТ АКВАРИУМ НЕ ПОМЕСТИЛИСЬ БЫ — ОН НЕДОСТАТОЧНО БОЛЬШОЙ.

ПРАВИЛЬНО РАССУЖДАЕШЬ, БЭТМЕН!

К СЛОВУ, О РЫБКАХ!

ПОЧЕМУ БЭТМЕН И РОБИН БОЛЬШЕ НЕ ХОДЯТ ВМЕСТЕ НА РЫБАЛКУ?

ПОТОМУ ЧТО ПТЕНЧИК-РОБИН ПОСТОЯННО СЪЕДАЛ ВСЕХ ЧЕРВЕЙ!

ХАХАХ АХАХА!

ИЛИ НАОБОРОТ, А, ЧУДО-МАЛЬЧИК НОМЕР ДВА?

КАК ТАМ В МОГИЛКЕ-ТО БЫЛО? ЧЕРВИ НЕ БЕСПОКОИЛИ?

ДРЕБЕЗГ

ХАХАХ АХАХА!

ЭТОТ СМЕХ.
ЭТОТ ВЗГЛЯД.

УЛЫБАЮЩАЯСЯ
РЫБА.

ТЫ НЕ ОТВЕТИЛ НА МОЙ
ВОПРОС. ТЫ ЗНАЕШЬ
ДЖОКЕРА ЛУЧШЕ, ЧЕМ
КТО-ЛИБО ИЗ НАС.

ЗА ЭТИ ГОДЫ
ОН НЕ РАЗ МЕНЯЛ
КАК ВНЕШНОСТЬ, ТАК
И МЕТОДЫ... НО ЭТО
ВЕДЬ ОН?

ЧЕРТ,
Я ПОЧТИ ВЗЯЛ
ЕГО.

ПРОСТО ИЗ-ЗА ХИМИКАТОВ
ЛИНЗЫ ПОМУТНЕЛИ. НА СЕ-
КУНДУ. А ТАК Я БЫ И САМ
С НИМ РАЗДЕЛАЛСЯ.

РАЗВЕ
ВАЖНО КТО?

ДЛЯ
МЕНЯ ДА.

СВОЛОЧЬ!

ДЖЕЙСОН,
ХВАТИТ!

БЭТМЕН?

ДЖИМ? МЫ
ПОЙМАЛИ ОДНОГО
ИЗ ДЖОКЕРОВ.

ХОРОШО.

А МЫ, КАЖЕТСЯ,
ТОЛЬКО ЧТО ПРИЖАЛИ
ДЖОКЕРА НОМЕР
ДВА.

НА ПЕРЕСЕЧЕНИИ
СЕМНАДЦАТОЙ ЛИНИИ
И БРОДВЕЯ.

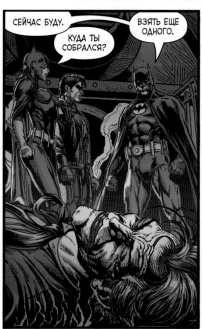

СЕЙЧАС БУДУ.

КУДА ТЫ
СОБРАЛСЯ?

ВЗЯТЬ ЕЩЕ
ОДНОГО.

СВЯЖИТЕ ЭТОГО.
ЖДИТЕ СПЕЦМАШИНУ
ИЗ АРКХЕМА.

И ОБЯЗАТЕЛЬНО
ЕГО ОБЫЩИТЕ...

«...У НЕГО ВСЕГДА ЧТО-НИБУДЬ ПРИПРЯТАНО В РУКАВЕ».

ПУУМ

ГОЛОС ВРОДЕ ЕГО, НО ВЫГЛЯДИТ ОН НЕМНОГО... ИНАЧЕ. НЕ КАК В ПРОШЛЫЙ РАЗ.

В КАКОМ СМЫСЛЕ «ИНАЧЕ»?

БОЛЕЕ ТОЩИЙ, ЧТО ЛИ. МЫ НИКОГДА НЕ ЗНАЛИ НИ ЕГО НАСТОЯЩЕГО ИМЕНИ, НИ ТОГО, ОТКУДА ОН ВЗЯЛСЯ... ТОТ ЭТО ДЖОКЕР ИЛИ НЕ ТОТ? КАК ТУТ ПОНЯТЬ?

А ЧТО, ЕСЛИ ИХ ВСЕГДА БЫЛО БОЛЬШЕ ОДНОГО?

ВЕДЬ ОН УЖЕ МНОГО ЛЕТ НЕ РАБОТАЛ С ГЭГГИ.

И Я ДАЖЕ НЕ ПРИПОМНЮ, КОГДА ОН В ПОСЛЕДНИЙ РАЗ ИСПОЛЬЗОВАЛ УЛЫБАЮЩИХСЯ РЫБ И КОЛОДУ КАРТ-БРИТВ.

ИЛИ ЦВЕТЫ, ПЛЮЮЩИЕСЯ КИСЛОТОЙ.

ХАХАХАХА!

ОСТОРОЖНО!

ХАХАХАХАХАХ!

КЛАССИКА
ЖАНРА,
СКАЖИ?

ХО
ХИ-ХИ
ХА-ХА

Я ЕДИНСТ-
ВЕННЫЙ И САМЫЙ
НАСТОЯЩИЙ ДЖО-
КЕР. И МОГУ ЭТО
ДОКАЗАТЬ.

ПРОВЕРЬ ЕГО
КАРМАНЫ.

НЕ ПОПАДИСЬ
НА КАКОЙ-НИБУДЬ
ТРЮК.

ЗАБИТЫ
ПОД ЗАВЯЗКУ.

ТРЮК ПРЯМО
ПЕРЕД ТОБОЙ, БЭТГЕРЛ.
ТРЮК — ЭТО Я.

Я —
МЕРТВАЯ ПЕТЛЯ.
БЕГОВОЕ КОЛЕСО
СУДЬБЫ. КРУГОВОРОТ
БОЛИ, ИЗ КОТОРОГО
ВЫ ОБА НИКОГДА
НЕ ВЫБЕРЕТЕСЬ.

ГЛЯНЬ
ХОТЯ Б НА ЭТО-
ГО «КРАСНОГО
КОЛПАКА».

ТЫ КОГДА-НИБУДЬ
ЗАДАВАЛАСЬ ВОПРОСОМ, ПОЧЕМУ
ОН ИСПОЛЬЗУЕТ МОЕ СТАРОЕ ПРОЗВИ-
ЩЕ? КТО В ЗДРАВОМ УМЕ БУДЕТ ИДЕН-
ТИФИЦИРОВАТЬ СЕБЯ С СОБСТВЕННЫМ
УБИЙЦЕЙ? НУ ЧТО, Я ВЕДЬ ПРАВ?

ДА, Я ВЗЯЛ ТВОЕ ИМЯ.
ПОСКОЛЬКУ ТО, ЧТО ТЫ
СДЕЛАЛ СО МНОЙ, СТАЛО
ЧАСТЬЮ МЕНЯ. ТЫ МЕНЯ
СОЗДАЛ.

А Я БУДУ
ТЕМ, КТО ТЕБЯ
УНИЧТОЖИТ.

О! КАКОЙ
СМЕЛЫЙ МАЛЬ-
ЧИШКА! БОЮСЬ-
БОЮСЬ!

И-ХИ-ХИ
ХИ-ХИ!

ОПУСТИ
ПИСТОЛЕТ.

НО ВЕДЬ
ОН ПРАВ.

ПОКА МЫ
НЕ РАЗОРВЕМ
ЭТОТ ПОРОЧНЫЙ
КРУГ, НИЧЕГО
НЕ ИЗМЕНИТСЯ.

БЭТМЕН НЕ СДЕЛАЛ БЫ ЭТОГО.

О, ТЫ ПРАВА. НЕ СДЕЛАЛ БЫ. НИКОГДА.

НО ВЕДЬ БЭТМЕНА ЗДЕСЬ НЕТ. ПРАВДА, МИЛАЯ?

ПОЖАЛУЙСТА.

ОПУСТИ ПИСТОЛЕТ.

МЫШКИ МОИ, ДАВАЙТЕ-КА ВЗГЛЯНЕМ НА ФАКТЫ. Я ПРОЛОМИЛ ЭТОМУ МАЛЬЧИКУ ЧЕРЕПУШКУ.

УБИЛ ЭТОГО РОБИНА.

ПОСЛЕ ЧЕГО БЭТМЕН ЗАДЕРЖАЛ МЕНЯ — ТАК ЖЕ КАК ВЫ СЕЙ-ЧАС. ДОСТАВИЛ В АРКХЕМ. И НА ЭТОМ ВСЕ.

ДО ПОРЫ ДО ВРЕМЕНИ.

ТЫ НЕ УБИЛ МЕНЯ.

ТЫ ЛИШЬ СДЕЛАЛ МЕНЯ СИЛЬНЕЕ.

ДА. ТЫ ВЫПОЛЗ ИЗ ТОЙ НЕ-ГЛУБОКОЙ МОГИЛЫ, В КОТОРОЙ Я ТЕБЯ ОСТАВИЛ. ОТКАЗАЛСЯ СДАВАТЬСЯ. УРРРА! ТЫ СУМЕЛ ВЫЖИТЬ БЛАГОДАРЯ СВОЕМУ УПОРСТВУ!

ИЛИ, БЫТЬ... БЫТЬ МОЖЕТ, Я ПРЕ-ВРАТИЛ ТЕБЯ В КРОВА-ВОЕ МЕСИВО... ДОВЕЛ ДО ПРЕДЕЛА...

...ПОТОМУ ЧТО ХОТЕЛ ОСТАВИТЬ ТЕБЯ В ЖИВЫХ.

ВЕДЬ ЕСЛИ Я И ВПРЯМЬ ТЕБЯ УБЬЮ, УВЫ... Я БОЛЬШЕ НЕ СМОГУ ПРИЧИ-НИТЬ ТЕБЕ БОЛЬ.

А ЗНАЧИТ, И ЕМУ.

ТОЛЬКО ОН ИМЕЕТ ЗНАЧЕНИЕ. А ТЫ — НИКТО. БЫЛ, ЕСТЬ И БУДЕШЬ.

ПОМНИШЬ, ЧТО ТЫ СКАЗАЛ МНЕ, КОГДА Я РАЗНОСИЛ ТВОЮ БАШКУ МОНТИРОВКОЙ? КОГДА ПОД ХРУСТ ТВОЕЙ ЧЕРЕПУШКИ КРОВЬ ЗАЛИВАЛА ТЕБЕ ГЛАЗА?

Я ВОТ ПОМНЮ.

ТЕ ТВОИ СЛО-ВА ВСЕГДА БУДУТ МНЕ ДОРОГИ.

ЗАТКНИСЬ.

ОПУСТИ ПИСТОЛЕТ. СЕЙЧАС ЖЕ!

«ПОЖАЛУЙСТА, НЕ НАДО! ПОЖА-А-АЛУЙСТА!

ЕСЛИ ТЫ ОСТАВИШЬ МЕНЯ В ЖИВЫХ... Я СДЕЛАЮ ВСЕ, ЧТО ТЫ ХОЧЕШЬ.

Я СТАНУ ТВОИМ РО-БИНОМ».

ДОРОГАЯ, Я ДОМА!

2) Комик

ДЕТКА?

ПАПА ВЕРНУЛСЯ.

НЕ ХОЧУ СПУСКАТЬСЯ.

П-ПРОСТИ, МОЙ ХОРО-ШИЙ.

НО ТЫ ВЕДЬ ЗНАЕШЬ, КАК ТВОЙ П-ПАПА РАССТРАИВА-ЕТСЯ, ЕСЛИ МЫ НЕ УЖИНАЕМ ВМЕСТЕ, КОГДА ОН ПРИХО-ДИТ С РАБОТЫ.

ПОЧЕМУ МЫ НЕ МОЖЕМ ПРОСТО УЙТИ?

О, МА-ЛЫШ...

Д-ДА, ПАПА РЕДКО БЫВАЕТ ДОМА, Т-ТЫ ОБИЖАЕШЬСЯ НА НЕГО ЗА ЭТО, НО ОН НАС Л-ЛЮБИТ. ПОЖАЛУЙСТА, СПУС-КАЙСЯ УЖИНАТЬ. НУ РАДИ МЕНЯ.

ЕГО ТЕРПЕНИЕ ВОТ-ВОТ ЛОПНЕТ.

ДОРОГАЯ?! СЫНОК?! ВСЕ ОСТЫВА-А-А-А-А-ЕТ!

ВОТ ТАК... УЗНАЮ СВОЕГО МАЛЬЧИКА.

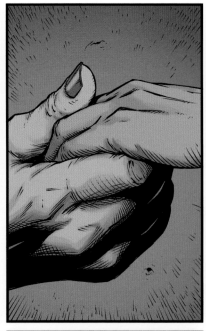

А ВОТ И ТЫ, ПАРЕНЬ!

У МЕНЯ СТОЛЬКО ИСТОРИЙ ДЛЯ ВАС ДВОИХ! ОХ! ВЫ ПРОСТО НЕ ПОВЕРИТЕ, ЧТО ЗА НЕДЕЛЬКА У МЕНЯ ВЫДАЛАСЬ!

ХА ХА ХА ХА ХА!

СЫНОК... ТЫ ЧЕГО ТАКОЙ КИСЛЫЙ?

НИЧЕГО, ПАП.

ОН ПРОСТО НЕ ОЧЕНЬ ЛЮБИТ ОСЬМИНОГОВ.

НО ОН Б-БЫЛ МОЛОДЕЦ. ХОРОШО СЕБЯ ВЕЛ.

ПРАВДА? ПОТРЯСАЮЩЕ, СЫНОК! СЕЙЧАС Я ТЕБЯ РАССМЕШУ!

ЧТО КРИЧАТ ВСЛЕД ОСЬМИНОГАМ-ТРОЙНЯШКАМ?

...О-СТРОЙНЯШКИ!

ХАХА ХАХА ХА!

ДОШЛО?! ХАХАХА!

ЧЕМ ЗАНЯТ?

1) Преступник

3) Клоун

«ЭТО НАСТОЯЩИЙ ДЖОКЕР?»

БЗЗ

ВЗЗ

БЗЗ

ЗЗЗ ВЗЗ

БЗЗ

«ЭТО НАСТОЯЩИЙ ДЖОКЕР?»

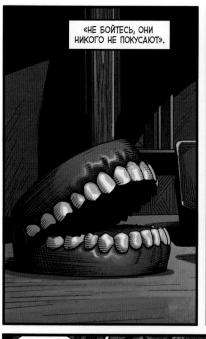

«НЕ БОЙТЕСЬ, ОНИ НИКОГО НЕ ПОКУСАЮТ».

...ЕСЛИ ВЫ ХОТИТЕ СОВЕРШИТЬ ЗВОНОК, ПОЖАЛУЙСТА, ПОВЕСЬТЕ ТРУБКУ И ПОПРОБУЙТЕ НАБРАТЬ НОМЕР ЕЩЕ РАЗ. ЕСЛИ ВАМ НУЖНА ПОМОЩЬ, ПОВЕСЬТЕ ТРУБКУ И НАБЕРИТЕ НОМЕР ОПЕРАТОРА...

ЕМУ НИКТО УЖЕ НЕ ПОМОЖЕТ, ДА, ГОРДО?

СУДЬЯ УЭЙД ДЖ. УОЛЛС ГУМАНИТАРНАЯ НАГРАДА

БЕДОЛАГУ СВОИ ЖЕ СТО-РОЖЕВЫЕ ПСЫ РАСТЕРЗАЛИ.

НО УЖЕ ПОСЛЕ ТОГО, КАК ЕМУ ВВЕЛИ ТОТ ЖЕ ТОКСИН, ЧТО И ЖЕРТВАМ В АРКХЕМЕ.

ЗНАЧИТ, НА КАМЕРУ ПОПАЛ НЕ ДЖОКЕР. А СУДЬЯ УОЛЛС.

НО ЗАЧЕМ ЕГО УБИВАТЬ? ОН ВЕДЬ УШЕЛ НА ПЕНСИЮ. УЖЕ МНОГО ЛЕТ НАЗАД.

ОН НЕ САМ УШЕЛ, ДЖИМ. ЕГО ВЫНУ-ДИЛИ.

ПРОДАЖНЫЙ СУДЬЯ. БРАЛ ВЗЯТКИ ОТ БЫВШЕЙ АРКХЕМСКОЙ АДМИНИ-СТРАЦИИ И ОТПРАВЛЯЛ ПРЕСТУП-НИКОВ В ЛЕЧЕБНИЦУ. ГДЕ ОХРАНА БЫЛА НИКУДЫШНОЙ.

ИМЕННО СУДЬЯ УОЛЛС ВИНОВЕН В ТОМ, ЧТО АРКХЕМ ПРЕВРАТИЛСЯ В ПРОХОДНОЙ ДВОР.

НЕ ТО ЧТОБЫ ЭТО КАК-ТО СКАЗАЛОСЬ НА ДЖОКЕРЕ.

ЭТО СКАЗА-ЛОСЬ НА ВСЕМ, КОМИССАР.

БЭТГЕРЛ?

ПО СЛОВАМ БЭТМЕНА, ТЫ СОПРО-ВОЖДАЕШЬ ОДНОГО ИЗ ТРЕХ ДЖОКЕРОВ В АРКХЕМ.

МНЕ НУЖНО ПОГОВОРИТЬ С БЭТМЕНОМ. НАЕДИНЕ.

ДЖОКЕРУ УДАЛОСЬ СБЕЖАТЬ?

...НЕТ.

ГДЕ КРАСНЫЙ КОЛПАК?

ТЫ И ЗА НИМ ОХОТИШЬСЯ?

КРАСНЫЙ КОЛПАК — НЕ ПРЕСТУПНИК, ДЖИМ.

ТЫ ОШИБАЕШЬСЯ.

ДЖЕЙСОН УБИЛ ДЖОКЕРА?

ДА, ОДНОГО ИЗ НИХ.

ЧТО БУДЕМ ДЕЛАТЬ?

БРЮС?

ДЖЕЙСОН ВЫСТРЕЛИЛ ЕМУ В ГОЛОВУ. ПРЯМО У МЕНЯ НА ГЛА-ЗАХ.

ДЖЕЙСОН...

ТЕПЕРЬ НАМ НУЖНО РАЗОБРАТЬСЯ НЕ ТОЛЬ-КО С ДВУМЯ ДЖОКЕРАМИ, НО ЕЩЕ И С КРАСНЫМ КОЛПАКОМ.

ОН УБИЛ ДЖОКЕРА, БРЮС. ЗАСТРЕЛИЛ ЕГО.

ОН УБИЛ ОДНОГО ИЗ ДЖОКЕРОВ, БАР-БАРА. ЭТО ВСЕ, ЧТО НАМ ИЗВЕСТНО.

ОДНОГО ИЗ? ИЛИ ТОГО САМОГО? КАКАЯ РАЗНИЦА. ГЛАВ-НОЕ, ЧТО НАМ ТЕПЕРЬ С ЭТИМ ДЕЛАТЬ?

МЫ НИЧЕГО НЕ МОЖЕМ С ЭТИМ ПОДЕЛАТЬ.

В КАКОМ СМЫСЛЕ?

ЕСЛИ ЗАДЕРЖИМ ЕГО ЗА УБИЙСТВО, ЕГО ЗАСТАВЯТ СНЯТЬ МАСКУ.

И ТАК КАК ТЫ ЕДИНСТВЕННЫЙ СВИДЕТЕЛЬ... ТЕБЯ ТОЖЕ.

НЕ ВСЕ ТАК ПРОСТО!

Я ПОГОВОРЮ С НИМ.

ПОГОВОРИШЬ? ПОЧЕМУ ТЫ ТАК СПОКОЙНО К ЭТОМУ ОТНОСИШЬСЯ? ТЫ ДОЛЖЕН БЫТЬ В БЕШЕНСТВЕ, КАК И Я.

ДЖЕЙСОН ЗАСТРЕЛИЛ ЧЕЛОВЕКА, ПРИВЯЗАННОГО К СТУЛУ! НЕ ГОВОРЯ УЖ О ТОМ, ЧТО ЭТОТ ДЖОКЕР, НАСТОЯЩИЙ ОН ИЛИ НЕТ, МОГ ЧТО-ТО ЗНАТЬ.

ТЫ ДОЛЖНА ПОНЯТЬ... ДЖЕЙСОНУ ОЧЕНЬ ПЛОХО.

ДЖОКЕР ПРИЧИНИЛ ЕМУ МНОГО БОЛИ. ПУСТЬ ДЖЕЙСОН И ВОССТАНОВИЛСЯ, ОН УЖЕ НЕ ТОТ, КАКИМ БЫЛ РАНЬШЕ. СЛУЧИВШЕЕСЯ ОЖЕСТОЧИЛО ЕГО.

А ТЫ СТАЛА СИЛЬНЕЕ.

ТЫ МОГ БЫ ПОМОЧЬ ДЖЕЙСОНУ СТАТЬ СИЛЬНЕЕ.

ДУМАЕШЬ, Я ХОТЕЛ ЧЕГО-ТО ИНОГО?

Я ДУМАЛ, ОН УМЕР.

НИКОГДА НЕ ПРОЩУ СЕБЯ ЗА ТО, ЧТО ОСТАВИЛ ЕГО В ТОЙ МОГИЛЕ. НИКОГДА.

НО ПОСЛЕ ТОГО КАК ТЫ УЗНАЛ, ЧТО ОН ЖИВ? ЕСЛИ ТЫ СЧИТАЛ, ЧТО ОН СПОСОБЕН НА ПОДОБНОЕ, ПОЧЕМУ СНОВА НЕ ВЗЯЛ ЕГО ОБРАТНО В ПЕЩЕРУ?

ПОЧЕМУ ТОЛЬКО СЕЙЧАС РЕШИЛ С НИМ «ПОГОВОРИТЬ»?

БРЮС?

Я НАДЕЯЛСЯ, ЧТО ОН БОЛЬШЕ ПОХОЖ НА ТЕБЯ.

ЗАСТАВЬ ДЖЕЙСОНА СЛОЖИТЬ ОРУЖИЕ, БРЮС. СЛОЖИ С СЕБЯ ЛИЧИНУ КРАСНОГО КОЛПАКА.

«ПРЕЖДЕ ЧЕМ ОН УБЬЕТ КОГО-НИБУДЬ ЕЩЕ».

ВАМ, ПРИЛИПАЛАМ ДЖОКЕРА, ПРИКАЗАЛИ СПРЯТАТЬ ОЧЕНЬ МНО-ГО ХИМИКАТОВ...

«...МНЕ НУЖНЫ ОТВЕТЫ».

Я ПОПРОШУ ЕГО ОБ ЭТОМ, БАРБАРА.

«ВСЕ КОНЧЕНО».

Я НЕ МОГУ СКАЗАТЬ. НЕТ!

ЧТО БЫ ТЫ СО МНОЙ НИ ДЕЛАЛ...

«...ОН ЕЩЕ И НЕ ТАКОЕ ПРИДУМАЕТ!»

ТЕБЕ И НЕ НУЖНО НИЧЕГО ГОВОРИТЬ. ВРТ

ДАТЧИКИ В МОЕМ ШЛЕМЕ УЖЕ ВСЕ ЗА-ФИКСИРОВАЛИ.

ТЫ В НЕМ С НОГ ДО ГОЛОВЫ.

В ЧИСТЯЩЕМ СРЕДСТВЕ ДЛЯ БАССЕЙНОВ.

ДУМАЕШЬ, ТЕПЕРЬ Я ТЕБЯ ОТПУЩУ?

НЕ МОГУ — ДО ПРИЕЗДА ПОЛИЦЕЙСКИХ.

ПОСТОЙ! ПОГОДЬ!

«АААЙЙЙИИ!»

МЫ ДВИЖЕМСЯ В СТОРОНУ ОКРАИНЫ. ТЫ ОТСЛЕДИЛ ДЖЕЙ-СОНА?

ПОПЫТАЛСЯ.

И КУДА МЫ НАПРАВЛЯЕМСЯ?

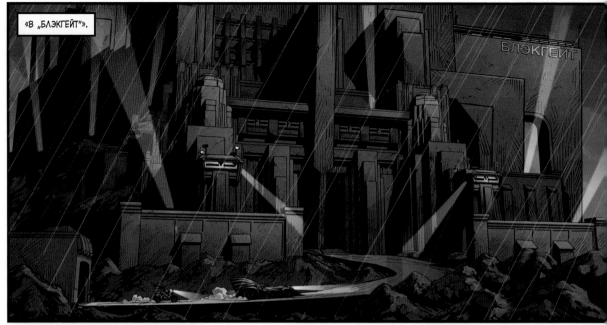

«В „БЛЭКГЕЙТ"».

БЛЭКГЕЙТ

Я УСПЕЛ ОСМОТРЕТЬ ТЕЛО СУДЬИ УОЛЛСА.

ЕГО СНАЧАЛА ЗАБИЛИ НАСМЕРТЬ ТОЙ ГУМАНИТАРНОЙ НАГРАДОЙ, А УЖ ПОТОМ ДО НЕГО ДОБРАЛИСЬ ПСЫ.

ПОЧЕМУ ТЫ НЕ РАССКАЗАЛ ОБ ЭТОМ МОЕМУ ОТЦУ?

ИЗ-ЗА ОТПЕЧАТКОВ ПАЛЬЦЕВ НА НАГРАДЕ.

ОНИ ПРИНАДЛЕЖАТ ОДНОМУ ИЗ ЗАКЛЮЧЕННЫХ.

КОМУ?

БРЮС?

КОМУ ИМЕННО?

ДЖО ЧИЛЛУ.

ТОРН, РУПЕРТ
04691977

ТОРН

СССС

САРТОРИУС,
АЛЕКСАНДР
0197705

ОРИУС,
АНДР
5

ЧИЛЛ, ДЖО
0331939

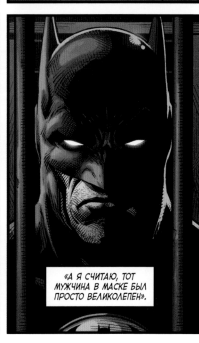

«А Я СЧИТАЮ, ТОТ
МУЖЧИНА В МАСКЕ БЫЛ
ПРОСТО ВЕЛИКОЛЕПЕН».

НАДО ПОГОВОРИТЬ.

СЕЙЧАС.

БДАММ

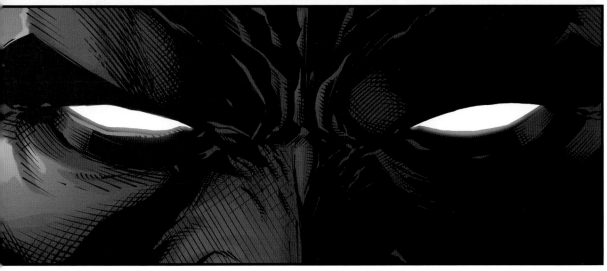

ЕГО ПЕРЕВЕЛИ.

КУДА?

ОН БОЛЕН.

БОЛЬНИЧНОЕ КРЫЛО
БЛЭКГЕЙТ
ОСН. 1991

ДЖО ЧИЛЛ ЗДЕСЬ УЖЕ ДВА МЕСЯЦА.

РАК. ЧЕТВЁРТАЯ СТАДИЯ.

СКОЛЬКО ЕМУ ОСТАЛОСЬ?

ПОХОЖЕ, ПАРА НЕДЕЛЬ.

КАК ОТПЕЧАТКИ ПАЛЬЦЕВ ДЖО ЧИЛЛА ОКАЗАЛИСЬ НА ОРУДИИ УБИЙСТВА С СЕГОДНЯШНЕГО МЕСТА ПРЕСТУПЛЕНИЯ?

ЕСЛИ ПРОВЕРИМ КАМЕРЫ НАБЛЮДЕНИЯ, ТО, УВЕРЕН, ОБНАРУЖИМ НЕИЗВЕСТНОГО ПОСЕТИТЕЛЯ, КОТОРЫЙ НАВЕЩАЛ ДЖО ЧИЛЛА.

ЧТОБЫ СНЯТЬ ЕГО ОТПЕЧАТКИ ПАЛЬЦЕВ.

ЧТОБЫ ЗАМАНИТЬ МЕНЯ СЮДА.

НО ЧТО СВЯЗЫВАЕТ ДЖОКЕРА И ДЖО ЧИЛЛА? ПОМИМО ТЕБЯ?

НЕ ЗНАЮ.

ТОЛЬКО ЧТО К БЭТ-КОМПЬЮТЕРУ ЧЕРЕЗ СВОЙ ШЛЕМ ПОДКЛЮЧИЛСЯ ДЖЕЙСОН.

АЛЬФРЕД ЗАСЕК ЕГО КООРДИНАТЫ.

НО, БРЮС...

ДУМАЮ, ДЖЕЙСОН НАШЁЛ ДВУХ ДРУГИХ ДЖОКЕРОВ.

ФСССС

ТЫ ПРИШЕЛ, КАК МЫ И НА- ДЕЯЛИСЬ.

МММММФФ:

ХАХАХАХАХАХАХАХАХАХ

ДА.

ОН ИДЕАЛЬНЫЙ КАНДИДАТ.

ДЖЕЙСОН ТОДД.

МЕЛКИЙ ВОРИШКА.

НА ТЕБЯ ДОЛЖНЫ БЫЛИ НАДЕТЬ НАРУЧНИКИ И ОТПРАВИТЬ В ТЮРЬМУ.

НО БЭТМЕН ВЗЯЛ ТЕБЯ ПОД СВОЕ КРЫЛО.

ЧТОБЫ ПРЕВРАТИТЬ ВО ВТОРОГО РОБИНА.

И ТЫ ПЕРЕРОДИЛСЯ.

А ПОТОМ, ПОСЛЕ СВОЕЙ СМЕРТИ... ПЕРЕРОДИЛСЯ ЕЩЕ РАЗ.

НО БОГ ЛЮБИТ ТРОИЦУ.

ВРОДЕ ВАС, ПАРНИ?

Я БЫЛ ПЕРВЫМ.

ЕЩЕ ДО БЭТМЕНА... Я ПРАВИЛ ГОТЭМОМ.

ПОСЛЕДНИЕ НОВОСТИ, ДЖОКЕР НОМЕР КАКОЙ-БЛИН-СКАЖЕШЬ: ДОЛБАНУТЫЕ МОЗГИ ОДНОГО ИЗ ТВОИХ ДРУЖКОВ РАЗМАЗАНЫ СЕЙЧАС ПО ПОЛУ ОКЕАНА- РИУМА.

И КАК ТОЛЬКО Я ОСВОБОЖУСЬ... ТЫ СТАНЕШЬ СЛЕДУЮЩИМ!

ХА-ХА.

XAXAXAXAXA

А-ХА ХА... А-ХЕ ХХ... ФФ.

ДА ЧТО, БЛИН, С ТОБОЙ НЕ ТАК?

ПОЖАЛУЙ, Я ОТКРОЮ ТЕБЕ ОДИН СЕКРЕТ О ДЖОКЕРЕ, МАЛЬЧИК...

МНЕ БОЛЬНО, КОГДА Я СМЕЮСЬ.

И ЧТО?

НАМЕКАЕШЬ, ЧТО ТЫ НАСТОЯЩИЙ ДЖОКЕР?

А И ВПРЯМЬ, КТО ТАКОЙ ЭТОТ ДЖОКЕР?

СЕЙЧАС МЫ ЭТО У-У-УЗНА-А-Е-Е-ЕМ!

ХАХАХАХАХАХА

МЫ ПОТРАТИЛИ НЕМАЛО ВРЕМЕНИ, ПЫТАЯСЬ ДАТЬ ТОЧНЫЙ ОТВЕТ НА ВОПРОС: КТО ЖЕ ТАКОЙ ДЖОКЕР? КАК ОКАЗАЛОСЬ, ОН *СУДЬЯ*. *СЕРИЙНЫЙ УБИЙЦА*. *ХИРУРГ*.

ВСЕ ДОВОЛЬНО ПРЕДСКАЗУЕМО. НИЧЕГО ВДОХНОВЛЯЮЩЕГО.

И ВОТ ПОЯВЛЯЕШЬ-СЯ ТЫ.

СКАЖИ МНЕ КОЕ-ЧТО.

ПОЧЕМУ ТЫ НАДЕВАЕШЬ НА СЕБЯ ЭТОТ ШЛЕМ И НАЗЫ-ВАЕШЬСЯ КРАСНЫМ КОЛПАКОМ ПОСЛЕ ВСЕГО ТОГО, ЧТО МЫ С ТОБОЙ СДЕЛАЛИ?

ДА ЛАДНО. ТЕПЕРЬ ЧТО, КАЖДЫЙ ПОДРАЖАТЕЛЬ ДЖОКЕРА БУДЕТ ЗАДАВАТЬ МНЕ ЭТОТ ВОПРОС?

ЭТО ШУТКА ТАКАЯ.

ШУТКА? МЫ НАГРАДИЛИ ТЕБЯ СОТРЯСЕНИЕМ МОЗ-ГА И ПОСТОЯННОЙ НЕВРАЛГИЕЙ.

ФИЗИЧЕСКОЙ И ПСИХОЛОГИЧЕСКОЙ ТРАВМОЙ. И ОНА НАСТОЛЬКО СИЛЬНА, ЧТО ТЫ МОЖЕШЬ ЧУВСТВОВАТЬ ОБЛЕГЧЕНИЕ, ТОЛЬКО КОГДА ПРИЧИНЯЕШЬ БОЛЬ ДРУГИМ.

ТЫ И Я, МАЛЬЧИК... МЫ ПОХОЖИ НАМНО-ГО БОЛЬШЕ, ЧЕМ ТЫ ГОТОВ ПРИЗНАТЬ.

МЫ НАДЕЯЛИСЬ: А ВДРУГ ТЫ ОКАЖЕШЬСЯ ТЕМ САМЫМ?

А ЧТО, БЫЛО БЫ ЛОГИЧНО.

СНАЧАЛА — *КРАСНЫЙ КОЛПАК*... ЗАТЕМ — *ДЖОКЕР*.

НО НЕ СЛОЖИЛОСЬ.

ХА ХА ХА ХА ХА ХА

А ЗНАЕШЬ, В ЭТОТ РАЗ И ПРАВДА НАМНО-ГО ВЕСЕЛЕЕ, ЧЕМ В ПЕРВЫЙ!

ХА ХА ХА ХА ХА ХА

Л-ЛУЧШЕ УБЕДИСЬ... ШТ-ЧТО НА ЭТОТ РАЗ Я ПРАВДА УМРУ.

О, ДА ЗАЧЕМ ЭТО МНЕ?

Я ВСЕ ЕЩЕ ДЕРЖУ ЗА ТЕБЯ КУЛАЧКИ! НАДЕЮСЬ, ТЫ СНОВА ВОССТАНЕШЬ ИЗ МЕРТ-ВЫХ И ДОКАЖЕШЬ, ЧТО МЫ БЫЛИ НЕ ПРАВЫ!

НО УЖЕ В КАЧЕСТВЕ ДЖОКЕРА!

ХА ХА ХА ХА ХА ХА

КРАСНЫЙ КОЛПАК?!

МЫ МОГЛИ БЫ ВОЙТИ ТИХО.

ЕСЛИ ДЖЕЙСОН ЗДЕСЬ, ТО ОН ТОЧНО ВО-ШЕЛ ГРОМКО.

СОГЛА-СЕН.

ОДНО РАДУЕТ: ЗДАНИЕ ПРИЗНАНО АВАРИЙНЫМ. НАДЕЮСЬ, ВНУТРИ НЕТ ПОСТОРОННИХ...

ХАХА ХАХА

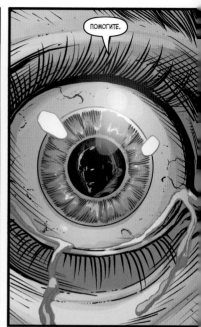

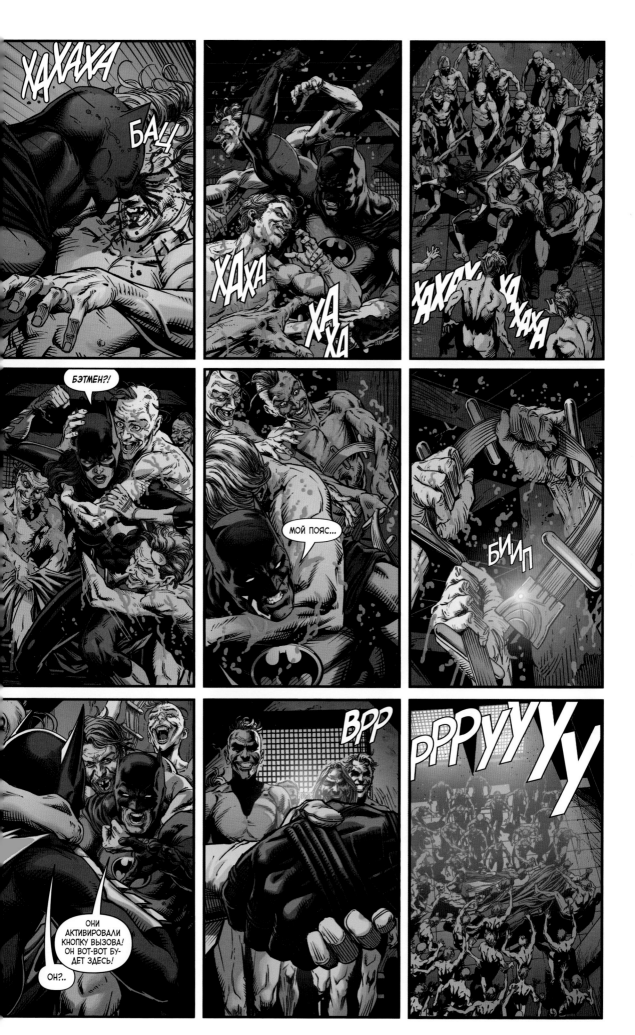

РУУУУУУУМММ

КОГО-ТО ИЗ НИХ МЫ ЕЩЕ МОЖЕМ СПАСТИ.

МОЖЕМ СПАСТИ ДЖЕЙСОНА.

ХАХАУ ХАХА У

СПЭ-СПАСИТЕ МЭ-МЕНЯ.

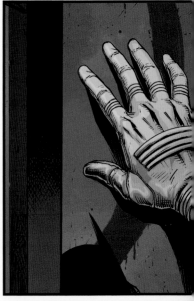

ОН
ЗАСНУЛ.

У МЕНЯ ЕСТЬ ЕЩЕ
НЕСКОЛЬКО ЗАЦЕПОК,
КОТОРЫЕ СТОИТ
ПРОВЕРИТЬ.

А КАК ЖЕ
ДЖЕЙСОН?

ЕМУ НУЖНО
ОТДОХНУТЬ.

ОН ЧУТЬ
НЕ ПОГИБ.

И УБИЛ
ЧЕЛОВЕКА.

ТЫ
НУЖЕН ЕМУ
ЗДЕСЬ.

БАРБАРА, ДЖЕЙСОНУ
НИЧЕГО НЕ УГРОЖАЕТ.

И МЫ ДОЛЖ-
НЫ УБЕДИТЬСЯ, ЧТО
ОСТАЛЬНЫМ ЖИТЕЛЯМ
ГОТЭМА ТОЖЕ.

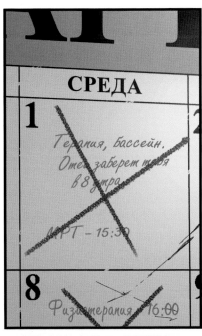

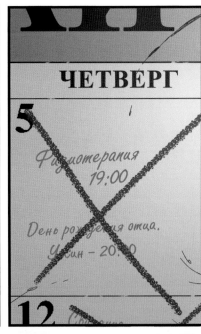

ДЖЕЙСОН?

БАРБАРА?

КУПИРОВАНИЕ
ХРОНИЧЕСКОЙ БОЛИ
А-р Д. КРИСАН

ДУМАЛА, ТЫ УШЕЛ.

НИЧЕГО, ЧТО Я ПРИНЯЛ ДУШ?..

ПРОСТИ, ЧТО ЛАЗАЛ ПО ТВОИМ ВЕЩАМ. НО ДВЕРЬ ШКАФА БЫЛА ОТКРЫТА, И ЭТА КНИГА... МНЕ ПОКАЗАЛОСЬ, ОНА МОЖЕТ...

ПОМОЧЬ.

МНЕ ПОМОГЛА.

ТЫ КАК?

НЕ ОЧЕНЬ. ВПРОЧЕМ, КАК ВСЕГДА.

ТО, ЧТО СКАЗАЛ ТОТ ДЖОКЕР... ЧТО Я УЖЕ МНОГО ЛЕТ ИДУ ПО ИХ ПУТИ... ОНИ ПРАВЫ.

НО Я НЕ ХОЧУ БЫТЬ ПОХОЖИМ НА НИХ. ПРАВДА.

ТЫ МНЕ ВЕРИШЬ?

ХОЧУ ВЕРИТЬ.

А МОЖНО СПРОСИТЬ ТЕБЯ КОЕ О ЧЕМ?

КАЛЕНДАРЬ В ТВОЕМ ШКАФУ. ИНВАЛИДНОЕ КРЕСЛО. КНИГИ. ЗАЧЕМ ТЫ ВСЕ ЭТО ХРАНИШЬ?

НАВЕРНОЕ, ОЧЕНЬ БОЛЬНО СМОТРЕТЬ НА НИХ.

НЕТ.

ТОЧНЕЕ, РАНЬШЕ БЫЛО БОЛЬНО.

НО ПОТОМ ЗАЖИЛО... СПАСИБО МОЕМУ ОТЦУ. ФИЗИОТЕРАПЕВТУ. И МНОГИМ ДРУГИМ, ВСЕМ, КТО МЕНЯ ПОДДЕРЖИВАЛ...

Я СТАРАЮСЬ МЫСЛИТЬ ПОЗИТИВНО. БЛАГОДАРЯ ЛЮДЯМ, КОТОРЫЕ МЕНЯ ЛЮБЯТ, Я СМОГЛА В БУКВАЛЬНОМ СМЫСЛЕ СЛОВА ПЕРЕШАГНУТЬ ЧЕРЕЗ СЛУЧИВШЕЕСЯ.

ДА. У МЕНЯ ТАКОЙ ПОДДЕРЖКИ НЕ БЫЛО.

МЫ ДУМАЛИ, ТЫ ПОГИБ. ВСЕ! В ТОМ ЧИСЛЕ И БРЮС.

А ВЕРНУЛСЯ ТЫ УЖЕ КРАСНЫМ КОЛПАКОМ. ВОССОЗДАЛ СЕБЯ В ТАКОМ ВОТ ОБРАЗЕ. ПОВЕРЬ, МЫ ВСЕ ОЧЕНЬ ЖАЛЕЕМ О ТОМ, ЧТО НЕ БЫЛИ РЯДОМ С ТОБОЙ.

МНЕ НИКТО НИКОГДА ЭТОГО НЕ ГОВОРИЛ.

ЧТО Ж, Я ГОВОРЮ ТЕБЕ ЭТО СЕЙЧАС.

ЗРЯ МЫ ЭТО.

Я ПРОСТО ХОТЕЛА, ЧТОБ ТЫ ЗНАЛ... Я ПЕРЕЖИВАЮ ЗА ТЕБЯ.

НИКОГДА НЕ ДУМАЛ, ЧТО КТО-ТО МОЖЕТ ЗА МЕНЯ ПЕРЕЖИВАТЬ.

ПРОСТИ МЕНЯ.

БАРБАРА...

ЭТО БЫЛ МИНУТНЫЙ ПОРЫВ. НЕ БОЛЬШЕ.

НАМ НУЖНО ЗАВЕР-ШИТЬ НАЧАТОЕ. ДЖОКЕР СТОЛЬКИМ ЛЮДЯМ ПРИЧИНИЛ ЗЛО. КАК, ВПРОЧЕМ, И ТЫ. ПОНИМАЕШЬ?

ДА, КОНЕЧНО.

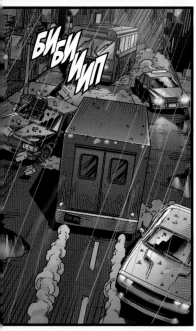

МЫ ЗНАЕМ, ЧТО ТРИ ДЖОКЕРА ЗАНИМАЛИСЬ ПОХИЩЕНИЕМ ЛЮДЕЙ, ПЫТАЯСЬ СОЗДАТЬ УЛУЧШЕННУЮ ВЕРСИЮ СЕБЯ.

«УЛУЧШЕН- НУЮ ВЕРСИЮ СЕБЯ»?

ЧТО ЭТО ВООБЩЕ ЗНАЧИТ?

ЭТО ЗНАЧИТ, ЧТО ДЖОКЕРЫ ДУ- РАЧИЛИ НАС УЖЕ МНОГО ЛЕТ.

НО ЧТО ЕЩЕ ЗА «УЛУЧШЕННАЯ ВЕРСИЯ», БРЮС?

СУДЯ ПО ТОМУ, ЧТО ОНИ РАС- СКАЗАЛИ ДЖЕЙСОНУ, ЭТО ТОТ ДЖОКЕР, ЗА УЛЫБКОЙ КОТОРО- ГО СКРЫВАЕТСЯ *ЛИЧНОСТЬ*. И ДЖЕЙСОНА В ЖИВЫХ ОСТАВИ- ЛИ ИМЕННО ДЛЯ ТОГО, ЧТОБЫ МЫ УЗНАЛИ ОБ ЭТОМ ИХ ЗАМЫСЛЕ.

ТРИ ДЖО- КЕРА ХОТЕЛИ, ЧТОБЫ Я ЭТО ОБНАРУЖИЛ.

ТОЛЬКО НЕ МОГУ ПО- НЯТЬ ЗАЧЕМ.

ОСТАЛОСЬ ДВА ДЖОКЕРА, БРЮС. НЕ ТРИ. ДВА.

И КОГДА Я ДОБЕРУСЬ ДО НИХ... НЕ ОСТАНЕТ- СЯ НИ ОДНОГО.

РАЗ УЖ ТЫ СЛИШКОМ СЛАБ, ЧТОБЫ СДЕЛАТЬ ЭТО.

И ЧТО ТЕПЕРЬ? АРЕСТУЕШЬ МЕНЯ?

ОТПРАВИШЬ ПОД СУД — И ВСЕ УЗНАЮТ, КТО Я. А ЗАТЕМ ВСЕ УЗНАЮТ, КТО ТАКАЯ БАРБАРА. ПОТОМУ ЧТО ЕЙ ПРИДЕТСЯ ДАТЬ ПОКАЗАНИЯ, ДА? ОНА ВЕДЬ ЕДИНСТВЕННЫЙ СВИДЕТЕЛЬ.

УВЕРЕН, ТАК ТЫ ЕЙ И СКАЗАЛ.

НО Я ЗНАЮ ПРАВДУ, БРЮС.

ТЫ НИЧЕГО СО МНОЙ НЕ СДЕЛАЕШЬ! И ОСТАНАВЛИВАЕТ ТЕБЯ ТОЛЬКО ОДНО...

...ТВОЙ СЕКРЕТ ВСЕ ТОЖЕ УЗНАЮТ.

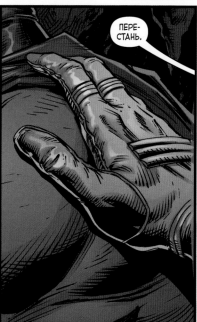

ПЕРЕСТАНЬ.

ТЫ ЧТО, НА ЕГО СТОРОНЕ? ДА ЛАДНО, БАРБАРА.

ОТКРОЙ ГЛАЗА, ОН ВЕДЬ ВСЕМИ МАНИПУЛИРУЕТ. ПОСМОТРИ, ВО ЧТО ОН НАС ВТЯНУЛ.

У ТЕБЯ СВОЙ ВЗГЛЯД НА ПРОИСХОДЯЩЕЕ, ДЖЕЙСОН. Я ЭТО ПОНИМАЮ.

НО БРЮС ВСЕГДА ХОТЕЛ ТОЛЬКО ОДНОГО — ПОМОЧЬ НАМ.

ПОМОЧЬ МНЕ? КАК? МОЖЕТ, ЗАПРЕШЬ МЕНЯ В КАМЕРУ? ПРЯМО ТУТ?

ПОСАДИШЬ ЗА РЕШЕТКУ И ЗАБУДЕШЬ О МОЕМ СУЩЕСТВОВАНИИ? ТАК ЖЕ, КАК ТЫ ЭТО СДЕЛАЛ СРАЗУ ПОСЛЕ МОЕЙ СМЕРТИ?

ТЫ НЕ ПОНИМАЕШЬ...

...И *НИКОГДА* НЕ ПОНИМАЛ.

МЫ ДОГОВОРИ-
ЛИСЬ РАБОТАТЬ
ВМЕСТЕ...

ТАК ДАВАЙТЕ
УЖЕ ЗАЙМЕМСЯ ДЕЛОМ.
ПОПРОБУЕМ НАЧАТЬ ВСЕ
С ЧИСТОГО ЛИСТА.

ДА ПОЖА-
ЛУЙСТА. КАК
СКАЖЕШЬ.

ДЖОКЕРЫ
ИСКУПАЛИ
В ЭТИХ ХИМИ-
КАТАХ ДЕСЯТ-
КИ ЛЮДЕЙ...

...ПРЕСТУПНИКОВ,
ВРАЧЕЙ... ЛЮ-
ДЕЙ С РАЗНЫМ
ПРОШЛЫМ...

...КАЖДЫЙ
ИЗ НИХ БЫЛ
КАНДИДАТОМ
НА «УЛУЧШЕН-
НУЮ ВЕРСИЮ»
ДЖОКЕРА.

ХИМИК-НЕУДАЧНИК.
СУМАСШЕДШИЙ МАНЬЯК.
НИКТО НЕ ВЫЖИЛ.

КРОМЕ
ЭТИХ ТРОИХ.

*ПРЕСТУПНИК.
ИЗ ТОГО, ЧТО ТЫ РАССКАЗАЛ,
ДЖЕЙСОН, ВЫХОДИТ, ОН БОЛЬШЕ
СОСРЕДОТОЧЕН НА ЦЕЛИ, ЧЕМ
НА ЗРЕЛИЩНОСТИ.*

«ЧТО НАПОМИНАЕТ МНЕ
ОБ ОДНОЙ ИЗ НАШИХ
ПЕРВЫХ СХВАТОК».

КЛОУН... С КОТОРЫМ
МЫ СТОЛКНУЛИСЬ
В ОКЕАНАРИУМЕ.

«ОН ВОПЛОЩАЕТ
СМЕРТОНОСНУЮ
НАИГРАННОСТЬ
КАКОГО-НИБУДЬ
ВЕДУЩЕГО ДЕТСКИХ
ПРАЗДНИКОВ».

*КОМИК...
ЗА ЕГО УЛЫБКОЙ
ЧТО-ТО ТАИТСЯ...*

«НЕКАЯ
САДИСТСКАЯ
ЖИЛКА, КОТО-
РАЯ УПРАВ-
ЛЯЕТ ИМ».

И КАК ТЫ ДУМАЕШЬ, БРЮС?

ИЗ ЭТИХ ТРЕХ ОДИН НАСТОЯЩИЙ?

ДА.

В КАКОЙ-ТО МОМЕНТ ОН РЕШИЛ СОЗДАТЬ ДВУХ ДРУГИХ.

«ДЛЯ НЕГО ЭТО ПРОСТО ШУТКА».

А МОЖЕТ, И НЕТ.

МОЖЕТ, ОН СОЗДАЛ ДВУХ ДРУГИХ, ЧТОБЫ СКРЫТЬ СВОЮ ИСТИН-НУЮ ЛИЧНОСТЬ.

И МЫ НАКОНЕЦ-ТО ВЫЯСНИМ, КТО ТАКОЙ ДЖОКЕР НА САМОМ ДЕЛЕ.

НЕУДАЧНИК КАКОЙ-НИБУДЬ.

БРЮС, ЭТО ВСЕ, ЧТО МЫ ДОЛЖНЫ ЗНАТЬ?

ДА, Я...

ПРОСТИ, ДЖЕЙСОН, ЧТО ПОДВЕЛ ТЕБЯ.

ПОЗВОЛЬ МНЕ ПОМОЧЬ ТЕБЕ НАЙТИ ДРУГОЙ, ЛУЧШИЙ ПУТЬ. НОВУЮ ЛИЧНОСТЬ.

ОСТАВЬ КРАСНОГО КОЛПАКА В ПРОШЛОМ.

ЕЩЕ НЕ ПОЗДНО.

НЕТ.

ДЖЕЙСОН, ОН ВЕДЬ СТАРАЕТСЯ.

СОСРЕДОТОЧИМСЯ НА ТОМ, ЧТОБЫ ОСТАНОВИТЬ ДЖОКЕРОВ, ЛАДЫ?

МНЕ НЕ НУЖНА ПОМОЩЬ.

«Я В ПОРЯДКЕ».

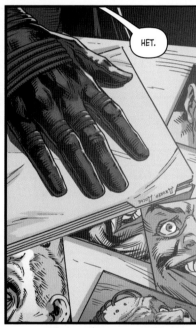

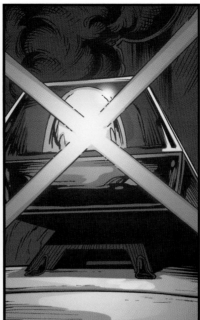

ЧТО ЭТО?

ПИСЬМА.

ОН ВСЕ ВРЕМЯ ИХ ПИСАЛ.

ИЗВИНИТЕ.

ПРОСТО... УСЛЫШАЛ, ЧТО ВЫ ЗДЕСЬ, И... ВЫ ВЕДЬ ЕГО ПОЙМАЕТЕ, ДА?

ДЖО ЧИЛЛА?

НЕТ...

ДЖОКЕРА.

ЕСЛИ ЭТО ПИСЬМА... ТО ПОЧЕМУ ОНИ НЕ ОТПРАВЛЕНЫ?

ОБ ЭТОМ ЛУЧШЕ СПРОСИТЬ ПРЕПОДОБНОГО ЭВАНСА.

СЛУШАЙ,
ЭМ... МЫ МОЖЕМ
ПОГОВОРИТЬ?

ЗНАЮ, Я ОБЛАЖАЛСЯ.

ОБЛАЖАЛСЯ? ДЖЕЙСОН, ТЫ ВООБЩЕ ПОНИМАЕШЬ, В КАКОЕ ПОЛОЖЕНИЕ ТЫ НАС С БРЮСОМ ПОСТАВИЛ, УБИВ ДЖОКЕРА?

МЫ В ЛОВУШКЕ. У НАС НЕТ ДРУГОГО ВЫБОРА, КРОМЕ КАК ПОЗВОЛИТЬ ТЕБЕ ИЗБЕЖАТЬ НАКАЗАНИЯ.

Я БОЛЬШЕ НИКОГДА НЕ СОВЕРШУ НИЧЕГО ПОДОБНОГО. ПРАВДА.

ОЧЕНЬ НА ЭТО НАДЕЮСЬ.

ПОТОМУ ЧТО В СЛЕДУЮЩИЙ РАЗ... ЕСЛИ ПРИДЕТСЯ, Я СНИМУ МАСКУ.

«ОН БЫЛ ПОЛОН РАСКАЯНИЯ...»

...ЗА СО-
ДЕЯННОЕ.

ВЫ ВЕДЬ
ЗНАЕТЕ, ЧТО ОН
СОВЕРШИЛ?

В ГОТЭМЕ
ВСЕ ЗНАЮТ,
ЗА ЧТО ДЖО
ЧИЛЛА ПОСАДИЛИ
В «БЛЭКГЕЙТ»,
ПРЕПОДОБНЫЙ
ЭВАНС.

ЧИЛЛ НАПИСАЛ БРЮСУ УЭЙНУ ДЕСЯТКИ ПИСЕМ.
С ИЗВИНЕНИЯМИ, НАСКОЛЬКО Я МОГУ СУДИТЬ. ХОТЯ
НИ ОДНО ИЗ НИХ НЕ БЫЛО ЗАКОНЧЕНО.

ДЖОЗЕФА ИСКЛЮЧИЛИ
ИЗ ШКОЛЫ В ТРИНАДЦАТЬ ЛЕТ. ОН
УСЕРДНО ЗАНИМАЛСЯ ЗДЕСЬ. НО У НЕГО
БЫЛИ ПРОБЛЕМЫ С ВОСПРИЯТИЕМ
ИНФОРМАЦИИ, И ПРОЦЕСС ОБУЧЕНИЯ
ШЕЛ ОЧЕНЬ МЕДЛЕННО.

А ПОТОМ ОН
ЗАБОЛЕЛ И ЗАХОТЕЛ
ПОКАЯТЬСЯ.

О НЕТ...

ДЖОЗЕФ НАЧАЛ
ПИСАТЬ ПИСЬМА
ЗАДОЛГО ДО СВОЕЙ
БОЛЕЗНИ.

«ОН ИЗМЕНИЛСЯ. СТАЛ СОВСЕМ ДРУГИМ ЧЕЛОВЕКОМ.

ТРЕСК

ОН ЧАСТО ГОВОРИЛ О ТЬМЕ, КОТОРАЯ ЖИЛА В ЕГО ДУШЕ».

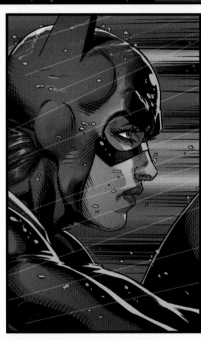

ТОЛЬКО СЕГОДНЯ НОВЫЙ ДЖОКЕР

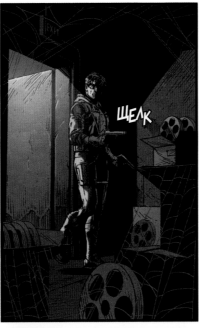

1) Престунник

ТЫ.

Я.

И ОН.

НА МЕСТЕ ПРЕСТУПЛЕНИЯ.

НУ И ЭТИ ДВОЕ ТУТ.

«КАЛЕКА.

И ПАЦАН».

Я ДУМАЛ О НИХ...

НО ТЫ И САМ ЗНАЕШЬ, ПАЦАНУ НЕ ХВАТАЕТ ИЗОЩ-РЕННОСТИ УМА.

А У ДЕВЧОНКИ СЛИШКОМ ДОБРОЕ СЕРДЦЕ.

ПОЭТОМУ Я ВЫБРАЛ УБИЙЦУ.

ДАВАЙ ЖЕ, ЧИЛЛ.

ДАЙ МНЕ ЗА ЧТО-НИБУДЬ УХВАТИТЬСЯ!

ЧЕСТНО... Ч-ЧЕСТНО ГОВОРЯ... КОГДА Я УВИДЕЛ УЭЙНОВ, ИДУЩИХ ПО ПЕРЕУЛКУ...

...Я ЗНАЛ, КТО ОНИ ТАКИЕ.

НЕ-А, БЭТМЕН.

ПФ-ЩЁЛК

Я НЕНАВИДЕЛ ИХ. ЗА ИХ ДЕНЬГИ.

НИ ШАГУ БОЛЬ-ШЕ... БЕЗ МОЕЙ КОМАНДЫ.

У НИХ БЫЛО ВСЕ.

ТЫ ХОЧЕШЬ СОЗДАТЬ НОВОГО ДЖОКЕРА.

И ДУМАЕШЬ, ЧТО ДЖО ЧИЛЛ ПОДХОДИТ НА ЭТУ РОЛЬ.

А РАЗВЕ НЕТ?

ХАХА ХАХ

ИЙДА!

БЛАММ
БЛАММ

БЛАММ

КРАСНЫЙ КОЛПАК?

ПОЧТИ.

УЛЫБОЧКУ.

«Я ХОЧУ, БЭТМЕН, ЧТОБЫ ТЫ ЗНАЛ, ЗАЧЕМ Я СОЗДАЮ НОВОГО ДЖОКЕРА».

ОН ПРОСТО СТАРЫЙ БОЛЬНОЙ ЧЕЛОВЕК.

БОЛЬНОЙ?

ГОТОВ ПОСПОРИТЬ, МОЯ ВАННА ПОМОЖЕТ ЕМУ ВОЙТИ В РЕМИССИЮ.

ОБЫЧНЫЙ ОБМЕН — ДУШЕВНОЕ ЗДОРОВЬЕ НА ФИЗИЧЕСКОЕ.

ХА-ХА.

НЕ ЗАСТАВЛЯЙТЕ МЕНЯ ПРОСИТЬ ЕЩЕ РАЗ, МИСТЕР ЧИЛЛ!

ДАВАЙТЕ ЖЕ! РАССКАЗЫВАЙТЕ!

СЕМЬЯ УЭЙН...

...Я ДУМАЛ, ЧТО ИМЕННО ИЗ-ЗА ТАКИХ, КАК ОНИ... В ЭТОМ МИРЕ СУЩЕСТВУЮТ ТАКИЕ, КАК Я.

Я БЫЛ РАССЕРЖЕН... ОЗЛОБЛЕН... ПОТЕРЯН.

ПОЭТОМУ РЕШИЛ ЗАБРАТЬ ВСЕ, ЧТО У НИХ ПРИ СЕБЕ БЫЛО...

...НО ИХ СЫН...

БЭТГЕРЛ?!

ХаХаХа

Я НЕ ВИДЕЛ, ЧТО С НИМИ ИХ ПАЦАН.

ДА! НАДЕРИ ИМ ЗАДНИЦЫ!

КРАК

СЗАДИ!

ПОКА НЕ СТАЛО СЛИШКОМ ПОЗДНО.

БпАММ

АААА!

А ТЕПЕРЬ ЧЬИ МОЗГИ РАЗМАЖУТСЯ ПО ПОЛУ?

КАК ТЫ ТАМ СКАЗАЛ?

УЛЫБОЧКУ!

КАК ТОЛЬКО ДЖО ЧИЛЛ ПЕРЕРО-ДИТСЯ... Я СМОГУ ОТДОХНУТЬ.

Я СПУСТИЛ КУРОК ДО ТОГО, КАК ЭТО ПОНЯЛ.

ТРАТ-А-ТАТ-ТАТ-ТАТ

ТАТ-ТАТ

ТОЛЬКО ПОТОМ Я УЗНАЛ, КЕМ НА САМОМ ДЕЛЕ БЫЛИ УЭЙНЫ.

ТАТ

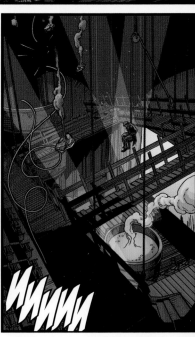

ИИИИИ

НФФ!

ОНИ ПЫТАЛИСЬ ПОМОЧЬ ГОТЭМУ ВСЕМ, ЧЕМ МОГЛИ.

ОНИ БЫЛИ ХОРОШИМИ ЛЮДЬМИ.

А Я ОСТА-ВИЛ ИХ СЫНА СИРОТОЙ.

ПРОШЛО СТОЛЬКО ЛЕТ, А Я ВСЕ ЕЩЕ НЕ ЗНАЮ, КАК СКАЗАТЬ ЕМУ...

...«ПРОСТИ».

БУУУУММ

О НЕТ.

ЭТО ПРОИСХОДИТ ПРЯМО У ТЕБЯ НА ГЛАЗАХ.

ЕЩЕ ОДИН ПРЕСТУПНИК ПАДАЕТ В ОГНЕННУЮ ВАННУ... ЕЩЕ ОДИН ДЖОКЕР ПОЯВЛЯЕТСЯ НА СВЕТ.

ЧИК

ХАХЕХФФ

ХА-ХА-ХЕ!

ТУУУМ

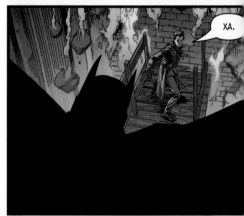

ХА.

КРУУУМ

ПРО ТЕБЯ МНОГО ВСЯКИХ СЛУХОВ ХОДИТ В «БЛЭКГЕЙТЕ».

ТЫ ЗНАЕШЬ, ЧТО Я СДЕЛАЛ В ЭТОМ ПЕРЕУЛКЕ. ТЫ УБЬЕШЬ МЕНЯ?

НЕТ.

НО Я ЭТО ЗАСЛУЖИЛ.

Я ВИНОВАТ. ПРАВДА.

ГрОХОт

АААААА!

БЛАММ

И ВОТ ОДИН, НЕСЧАСТНЫЙ, ОДИНОКИЙ...

2) Комик

ЗАДЕРЖИ МЕНЯ, БЭТСИ!

Я ХОЧУ ВЫЙТИ ИЗ ЭТОЙ СУМАСШЕДШЕЙ ГОНКИ!

ЧТО, И ЭТО ВСЕ? ОН ДОСТАВИТ ПОСЛЕДНЕГО ДЖОКЕРА В АРКХЕМ, А ПОТОМ ОТПРАВИТ МЕНЯ ДОМОЙ?

«ОТГОНИ БЭТМОБИЛЬ ОБРАТНО В ПЕЩЕРУ».

ДЖЕЙСОН, ДАЙ ЕМУ ШАНС. И СЕБЕ ТОЖЕ.

А КАК НАСЧЕТ... ШАНСА НАМ?

ДЖЕЙСОН, Я... ДУМАЮ, МЫ ПО-РАЗНОМУ СМОТРИМ НА ТО, ЧТО МЕЖДУ НАМИ ПРОИЗОШЛО.

ПРОСТИ.

...КОНЕЧНО. И ТЫ ПРОСТИ... Я...

УВИДИМСЯ.

БЭТГЕРЛ?

ТЫ КАК?

В ПОРЯДКЕ, КОМИССАР.

ЗНАЮ, ТЕБЕ НЕПРОСТО СМОТРЕТЬ В ГЛАЗА ДЖОКЕРУ. И РАНЬШЕ Я МОЛЧАЛ, НО СЕЙЧАС ВСЕ ЖЕ ДОЛЖЕН КОЕ-ЧТО ТЕБЕ СКАЗАТЬ.

Я ВСЕГДА ТЕБЕ ПОМОГУ. КАК И БЭТМЕНУ. НО КРАСНЫЙ КОЛПАК...

НЕ СТОИТ ТЕБЕ С НИМ СВЯЗЫВАТЬСЯ.

МОИ С НИМ ОТНОШЕНИЯ — ЭТО НАШЕ ЛИЧНОЕ ДЕЛО...

...ПАПА.

«Я ВИНОВАТ. ПРАВДА».

ТАКАЯ ДРАМА... НУ ЧТО ТЕПЕРЬ...

РАЗВЕ ТЫ НЕ ЛУЧШЕ СЕБЯ ЧУВСТВУЕШЬ... А, БРЮС?

БРЮС УЭЙН. БАРБАРА ГОРДОН. ДЖЕЙСОН ТОДД.

ТЫ ЗНАЕШЬ, ЧТО Я ЗНАЮ. НО МНЕ ПЛЕВАТЬ. Я НИКОМУ НИЧЕГО НЕ РАССКАЖУ.

МИР НИКОГДА НЕ УЗНАЕТ ТВОЕГО НАСТОЯЩЕГО ИМЕНИ.

ЕСЛИ Я ЕГО ОТКРОЮ, ТЫ ВЕДЬ МОЖЕШЬ ОСТАНОВИТЬСЯ.

ЧЕГО ТЫ ХОЧЕШЬ?

ЧЕГО Я ХОЧУ? ТОЧНО НЕ ТОГО ЖЕ, ЧЕГО ХОТЕЛИ ДРУГИЕ.

КЛОУН, В КОТОРОГО ВСАДИЛ ПУЛЮ ТВОЙ НИКУДЫШНЫЙ РОБИН? ЕГО ЗАБАВЛЯЛИ СТРАДАНИЯ, БОЛЬ. ВСЕГО-НАВСЕГО.

КАК...

ОБЫДЕННО.

А ПРЕСТУПНИК? СТАРИНА БЫЛ ПОЛОН ИЛЛЮЗИЙ.

ЭТА ЕГО ГРАНДИОЗНАЯ ИДЕЯ СОЗДАТЬ «УЛУЧШЕННУЮ ВЕРСИЮ» ДЖОКЕРА — ПОЛНЫЙ БРЕД, СОГЛАСИСЬ?

ДЖОКЕР С ИСТОРИЕЙ? У КОТОРОГО ЕСТЬ ИМЯ? ЛИЧНОСТЬ?

ЗАЧЕМ? ЭТО ИДЕТ ВРАЗРЕЗ С САМОЙ МОЕЙ СУЩНОСТЬЮ.

ВОТ ПОЧЕМУ Я ЖАЛЕЛ, ЧТО СОЗДАЛ ЕГО.

ИЛИ ЭТО ОН ЖАЛЕЕТ, ЧТО СОЗДАЛ МЕНЯ?

ХА-ХА-ХА-ХА-ХА.

ТАК В ЧЕМ ЖЕ СУТЬ ЭТОЙ ШУТКИ, ДЖОКЕР?

О, ЭТО ВОВСЕ НЕ ШУТКА, БЭТМЕН.

НИКАКОГО НЕОЖИДАННОГО ФИНАЛА НЕ БУДЕТ.

ДО ТЕХ ПОР, ПОКА Я НЕ РЕШУ СОМКНУТЬ СВОИ ПАЛЬЦЫ НА РУКОЯТИ НОЖА, ВОНЗЕННОГО В ТВОЕ СЕРДЦЕ.

ПРЕСТУПНИК ОШИБАЛСЯ. Я САМ ХАОС. САМ САТАНА. ДЛЯ ТЕБЯ Я НИЧТО И НИКТО. И ВМЕСТЕ С ТЕМ ВСЁ.

ЭТО НЕ С ДЖОКЕРОМ ЧТО-ТО НЕ ТАК.

А С БЭТМЕНОМ.

ТЫ СЛОМЛЕН. ЖИВЕШЬ БОЛЬЮ, КАКУЮ Я НИКОГДА НЕ СУМЕЛ БЫ ТЕБЕ ПРИЧИНИТЬ.

ПОЭТОМУ... Я УБЕДИЛ ИХ, ЧТО ДЖО ЧИЛЛ СТАНЕТ ИДЕАЛЬНЫМ НОВЫМ КЛОУНОМ-ПРИНЦЕМ ПРЕСТУПНОГО МИРА. ПРОСТО ФЕЕРИЧЕСКИМ!

«ЧЕЛОВЕКОМ, КОТОРЫЙ НИЗВЕРГНЕТ ГОТЭМ В АД!»

«И ДЖОКЕР-ПРЕСТУПНИК КУПИЛСЯ».

А ПОТОМ Я ПРОСТО НЕ ВМЕШИВАЛСЯ... И ВСЕ СЛУЧИЛОСЬ В ТОЧНОСТИ ТАК, КАК Я И ПРЕДПОЛАГАЛ».

ТЫ СПАС ЧЕЛОВЕКА, КОТОРЫЙ УБИЛ ТОМАСА И МАРТУ УЭЙН. ЧЕЛОВЕКА, КОТОРЫЙ НИЗВЕРГ ГОТЭМ — И ТЕБЯ — В БЕЗДНУ ОТЧАЯНИЯ.

ТЫ УВИДЕЛ, В КАКОГО ЖАЛКОГО, НИКЧЕМНОГО, ПОЛНОГО СОЖАЛЕНИЙ СТАРИКАШКУ ПРЕВРАТИЛСЯ ЧИЛЛ. ПРОЧУВСТВОВАЛ ЕГО БОЛЬ — И ЭТО ПРИНЕСЛО ТЕБЕ ОБЛЕГЧЕНИЕ.

ХА.

Я ЗАЛЕЧИЛ ТВОЮ САМУЮ ГЛУБОКУЮ РАНУ.

ПОЭТОМУ ТЕПЕРЬ Я МОГУ СТАТЬ ТВОЕЙ ВЕЛИЧАЙШЕЙ БОЛЬЮ.

Я!

Я ИЗРЕЖУ ТЕБЯ.

ИСКАЛЕЧУ.

БУДУ ПРОКРУЧИВАТЬ ЭТОТ НОЖ В ТВОЕЙ ГРУДИ ДО ТЕХ ПОР, ПОКА ОДНАЖДЫ, В ОДИН ПРЕКРАСНЫЙ ДЕНЬ, МЫ НЕ УМРЕМ — ВМЕСТЕ!

ХАХАХА ХА ХА!

«МИР НИКОГДА НЕ УЗНАЕТ ТВОЕГО НАСТОЯЩЕГО ИМЕНИ.

ПРОЩАЙ, БРЮС. НО ЕЩЕ УВИДИМСЯ».

БРЮС?

ДАЖЕ ЕСЛИ БЫ ДЖЕЙСОН УБИЛ ВСЕХ ТРОИХ...

...НИ ОН, НИ БАРБАРА НЕ СМОГУТ ПОПРОЩАТЬСЯ С ТЕМ, ЧТО СЛУЧИЛОСЬ, НАВСЕГДА.

НЕИСПРАВЕН

Дорогая Барбара!

Я правда хочу измениться.

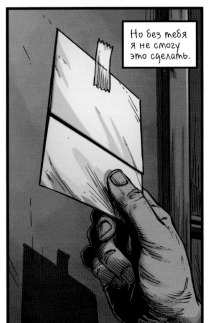

Но без тебя я не смогу это сделать.

Знаю, почти всегда от меня веяло холодом. Я был как будто очень далеко.

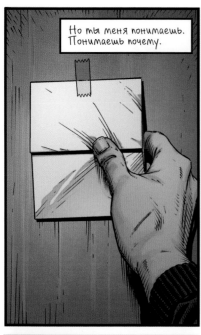

Но ты меня понимаешь. Понимаешь почему.

Я всегда восхищался тобой, Барбара.

Твоей силой.

Твоей целеустрем- ленностью.

Твоим великодушием.

Ты думаешь, что случившееся было ошибкой.

Минутным порывом.

Но я считаю, что нам было бы очень хорошо вместе. Правда.

Ради нас я перестану быть Красным Колпа- ком. Я смогу стать кем-то другим.

Или просто Джейсоном.

Все, что мне нужно, — это один шанс. Шанс доказать тебе, что я могу стать лучше. И я посвящу свою жизнь тому, чтобы ты была горда мной. Счастлива. Любима.

Если ты думаешь, что я не стою этого шанса, если во всем случившемся виновата суматоха, круговерть, просто выброси это письмо.

Я никогда не спрошу о нем. Даже пойму тебя.

Чем бы все ни закон- чилось, я люблю тебя.

Твой

Джейсон

«СТОЛЬКО НЕНАВИСТИ...»

...А МЫ ДАЖЕ ИМЕНИ ЕГО НЕ ЗНАЕМ.

ИНТЕРЕСНО, ВЫЯСНИМ ЛИ МЫ КОГДА-НИБУДЬ, КТО ОН НА САМОМ ДЕЛЕ?

2) Комик

ГОСПОДИ, ДА Я ЖЕ ПРОСТО СКАЗАЛА...

Я ТЕБЯ ПРЕКРАСНО СЛЫШАЛ. «ПОНЯТНО»! ТИПА «ПОНЯТНО, ЗНАЧИТ ТЕБЯ ОПЯТЬ НЕ ВЗЯЛИ НА РАБОТУ»! ИЛИ: «ПОНЯТНО, НО КАК МЫ ПРО-КОРМИМ РЕБЕНКА?»

ДУМАЕШЬ, МЕНЯ ЭТО СОВСЕМ НЕ БЕСПОКОИТ?

ЭТО МОЖЕТ ПРОЗВУЧАТЬ БАНАЛЬНО, АЛЬФРЕД, НО Я — БЭТМЕН.

Я УЗНАЛ НАСТОЯЩЕЕ ИМЯ ДЖОКЕРА ЧЕРЕЗ НЕ-ДЕЛЮ ПОСЛЕ НАШЕЙ ПЕРВОЙ ВСТРЕЧИ.

ЧТО?

ОН НИКОГДА НЕ ПОЗ-ВОЛИТ МНЕ УЙТИ.

И МОЙ РЕБЕНОК... КАК ТОЛЬКО ПРЕДСТАВЛЮ, ЧТО ОН МОЖЕТ СДЕЛАТЬ С МАЛЫШОМ...

ВСЕ В ПОРЯДКЕ, ЛЕДИ. ПАРНИ СОБРАЛИ ЧУТОК ДЕНЬЖАТ.

«МЫ ПОМОЖЕМ ВАМ. ПОМОЖЕМ ВСЕМ, ЧЕМ СМОЖЕМ».

Э, СЛУШАЙТЕ, НО В ЧЕМ, В ЧЕМ, В ЧЕМ ВООБЩЕ ДЕЛО?.. Я ЖЕ НИЧЕГО...

СЭР, Я ОЧЕНЬ СОЖАЛЕЮ, НО СЕГОДНЯ УТРОМ С ВАШЕЙ ЖЕНОЙ ПРОИЗОШЕЛ НЕСЧАСТНЫЙ СЛУЧАЙ. ОНА ВКЛЮЧИЛА В РОЗЕТКУ НАГРЕВАТЕЛЬ ДЛЯ ДЕТСКИХ БУТЫЛОЧЕК, ВИДИМО, ХОТЕЛА ПРОВЕРИТЬ, НО ЕГО ЗАМКНУЛО. И... В ОБЩЕМ...

В ОБЩЕМ, СЭР, ОНА ПОГИБЛА. ПРИМИТЕ МОИ ИСКРЕННИЕ СОБОЛЕЗНОВАНИЯ.

«НИКТО НИКОГДА НЕ ДОЛЖЕН УЗНАТЬ ЕГО ИМЯ, АЛЬФРЕД.

СПАСИБО.

ИНАЧЕ ЕГО СЕМЬЮ НЕ ОСТАВЯТ В ПОКОЕ. ИМ НЕ ЖИТЬ.

ЖУРНАЛИСТЫ НАЙДУТ ИХ.

ДЖОКЕР НАЙДЕТ ИХ.

ТАК ЧТО ДА, ЕГО ИМЯ МНЕ ИЗВЕСТНО.

НО ИМЯ ДЖОКЕРА — ЭТО ДАЛЕКО НЕ САМОЕ ВАЖНОЕ.

И НИКОГДА НЕ БЫЛО ТАКОВЫМ».

ПРОМОАРТ
И АЛЬТЕРНАТИВНЫЕ ОБЛОЖКИ

ДЖЕЙСОН ФЕЙБОК
И
БРЭД АНДЕРСОН

ПРИМЕЧАНИЯ

С. 18. *П-п... п-почему вы... д-делаете это?..* — Здесь и далее по тексту Джефф Джонс использовал множественные отсылки к комиксу Алана Мура «Бэтмен: Убийственная шутка» (1988), классике историй о Джокере.

С. 34. *Я тут сбил кое-кого на дороге. Вот, привез на жаркое... / «...Кстати, тебе велик не нужен?»* — Это одна из так называемых американских «дорожных» шуток (*англ.* «Roadkill Jokes»). Первая часть репризы всегда остается неизменной, а вторая зависит от контекста ситуации.

На кепке Джокера написано «Large Marge Trucking». Это отсылка к Большой Мардж — водительнице грузовика, городской легенде среди дальнобойщиков, — персонажу дебютного фильма Тима Бёртона «Большое приключение Пи-Ви» (1985). Действие разворачивается вокруг поиска велосипеда, который был угнан у главного героя. По сюжету Большая Мардж в какой-то момент подвозит Пи-Ви на своем грузовике.

С. 41. Внешний вид головорезов «БАЦ!», «ТУМС!», «БУМ!», «ХРЯСЬ!» отсылает к комиксам 1960-х годов, в которых приспешники Джокера одевались похожим образом. Имена на бейджах — также отсылка к американскому телесериалу «Бэтмен» (1966). В нем удары героев во время схваток сопровождались звуковыми эффектами, которые дублировались на экране яркими текстовыми вставками-стикерами.

Гэгги — первый напарник Джокера, настоящее имя — Гагсворт А. Гагсуорси. В банде Джокера отвечал в основном за развлечения, но также принимал участие и в ограблениях. Гэгги был создан Робертом Канигером и Шелдоном Молдоффом и дебютировал в 186-м выпуске «Бэтмена» (1966).

С. 71. *Руперт Торн* — политик, криминальный авторитет Готэм-сити. Босс бандита Спички Мэлоуна, который на деле является Брюсом Уэйном под прикрытием в преступном мире. Тюремный номер (04691977) отсылает к первому появлению персонажа в комиксах вселенной DC. Руперт Торн был создан Стивом Энглхартом и Уолтером Саймонсоном и дебютировал в 469-м выпуске «Detective Comics» (1977).

Александр Сарториус (он же Доктор Фосфор) — радиоактивный суперзлодей, в прошлом — ученый, желающий открыть атомную электростанцию в Готэм-сити. После аварии на станции, вызванной Рупертом Торном, химический состав его тела изменился и приобрел свойства фосфора, отчего кожа Сарториуса постоянно излучает радиацию. Тюремный номер (0197705) отсылает к первому появлению персонажа в комиксах вселенной DC. Александр Сарториус был создан Стивом Энглхартом и Уолтером Саймонсоном и дебютировал в 469-м выпуске «Detective Comics» (май, 1977).

С. 144. *И вот один, несчастный, одинокий...* (*англ.* And then there was one...) — строчка из песенки «Десять маленьких негритят» (1869), автором которой считается американский поэт-песенник Фрэнк Дж. Грин. В Англии и Америке она исполнялась в менестрель-шоу — музыкальных театральных сценках, высмеивающих афроамериканцев. В Европе стала широко известна после выхода романа Агаты Кристи «Десять негритят» (1939), по сюжету которого герои умирали согласно порядку, указанному в песне-считалочке. Существует несколько вариантов ее перевода на русский язык. Мы взяли строчку из перевода Ларисы Беспаловой как наиболее подходящую по смыслу.